CINCO
CUENTISTAS
CONTEMPORANEOS

Prentice-Hall International, Inc., *London*
Prentice-Hall of Australia, Pty. Ltd., *Sydney*
Prentice-Hall of Canada, Ltd., *Toronto*
Prentice-Hall of India Private Ltd., *New Delhi*
Prentice-Hall of Japan, Inc., *Tokyo*

CINCO
CUENTISTAS
CONTEMPORANEOS

edited by

A. V. EBERSOLE
University of North Carolina, Chapel Hill

in collaboration with

JORGE CAMPOS

PRENTICE-HALL, INC., *Englewood Cliffs, New Jersey*

Library of Congress Catalog Card No.: 69–12395

13-133892-7

Current printing (last digit)

10   9   8   7   6   5   4   3   2   1

Printed in the United States of America

FOREWORD

In this collection of short stories, my collaborator and I are attempting to present to the student a collection of stories that is representative of the contemporary generation of Spanish writers, some of whom are unknown in this country, at least at this time. Jorge Campos and F. García Pavón are certainly well-established names among short story writers; the reader will agree that Medardo Fraile, Carmen Iranzo, and Daniel Sueiro merit inclusion as their equals.

One of the unique features of this volume is the inclusion, beyond the usual biographical material, of each author's *cuentística,* that is, each author's attempt to define the term *cuento.* We hope that the student will try to compare and relate this definition to the author's own stories.

We have supplied, in addition, exercises that are designed to increase the student's comprehension of the reading material, and which should lead to more classroom discussion of the stories themselves. The footnotes and end vocabulary are sufficiently detailed to permit the inclusion of this anthology in the intermediate-level course. The content meanwhile is of sufficient literary merit for it to be added to the reading list of any advanced course in literature.

We feel that too frequently, in anthologies of this type, the student has little opportunity to identify with the ideas and style of an author before passing on to the reading of another, then still another. For that reason, we have limited ourselves to the stories of five authors, so that the reader can learn to analyze and appreciate each author as a writer, with an identifiable style.

We have arranged the stories in order of difficulty so as to better help the student make the transition from the less to the more difficult. There is no comparison of literary values implied. This is done so that the student may immerse himself in the language.

The stories of this anthology can be divided, basically, into two categories: those whose plot hinges on the action or actions of the protagonist, with a surprise twist given to the ending; and those in which the author simply creates a series of impressions, or relives memories from the past. For example, in García Pavón's stories, a child observes, without fully understanding them, the happenings around him, as well as the actions of adults that make complete sense only to another adult. The setting for some of these stories is the era of the Republic (1931–1936), with natural allusions to the recently fallen dictatorship of Primo de Rivera, the rule of the recently deposed Alfonso XIII, and to politicians of the day, but all is presented as perceived by the eyes, ears, and understanding of a child.

In the notes and vocabulary, we have tried to avoid oversimplification, so that obvious cognates, constructions that should be within the student's grasp after the first course in Spanish, and common prepositions have been omitted.

We would like to take this opportunity to thank the authors for granting us permission to reprint their stories in this volume. Without their cooperation, this anthology would not have been possible.

A.V.E

CONTENTS

CINCO
CUENTISTAS
CONTEMPORANEOS

JORGE CAMPOS

Jorge Renales Fernández nació en Madrid en 1916. Escribe bajo el nombre de Jorge Campos. Es licenciado en Filosofía y Letras, carrera que cursó en Valencia, y que ha ejercido en varios centros. Su labor como crítico literario es considerable, y se interesa por las letras de la América Hispana.

Vive actualmente en Madrid, siendo la narrativa la obra que más estima, y la cual cultiva activamente.

En 1955 su libro de cuentos "Tiempo pasado" recibió el Premio Nacional de Literatura.

SOBRE EL CUENTO

Para empezar, hay que dejar sentada[1] la personalidad del cuento, que de un modo tópico se suele emparentar con la novela como si se tratara de un hermano menor. Su parentesco es mucho menos próximo de lo que parece. De hecho el mismo puede existir entre la novela larga y cualquier otra forma de contar, desde la poesía épica a la fabulilla.

La prueba de ello es que el cuento reclama pronto la aceptación de su personalidad, apareciendo intercalado en relatos más largos. En los extensos poemas narrativos primitivos, y en la novela larga contemporánea aparece el cuento reclamando una existencia aislada que solo consigue, en el Renacimiento, agrupándose con otros.

De hecho el cuento viene de los más lejanos orígenes literarios, de la literatura oral, de las más sencillas fabulaciones humanas, pero sólo en el mundo contemporáneo se perfila y exige reconocimiento literario, diferenciándose de la novela, larga o corta.

El cuento lleva en sus dimensiones todos sus riesgos y toda su virtud. Ha de contar algo, con una intención —de pura ficción, esteticista, moralizante, etc.— prescindiendo de aquello que no sea necesario para su finalidad esencial. A una novela se le perdona la endeblez del argumento en aras de su fuerza descriptiva,[2] a la calidad de su idioma, al cuento, más difícilmente. Igual ocurre en cuanto a la morosidad del relato.

De ahí que la narración breve exija un ritmo y una estructura, que deben hacerse menos patentes —como un esqueleto perfectamente recubierto y hecho olvidar[3]—. Por el corto camino que el escritor de cuentos hace caminar a la imaginación del lector no deben existir desviaciones que hagan nacer la vacilación.

---

[1]**hay que dejar sentada**: *one must make clear* (i.e., *define*).
[2]**en aras ... descriptiva**: *because of its descriptive force* [**aras**: altars].
[3]**hecho olvidar**: *forgotten on purpose.*

El cuento admite más de un concepto, pero fundamentalmente
se abren dos orientaciones ante él: la pura ficción, por los senderos
de lo fantástico, o la adhesión a un realismo inmediato. En ambas
direcciones su condensación le permite ir más allá que la novela.
Del primer caso está el máximo ejemplo de Jorge Luis Borges. En
el otro el Hemingway de *The Killers*, o *Los jugadores de póker* de Brent.[4]
Por poner un ejemplo de este último en lengua hispana, el libro
Proceso en diciembre del puertorriqueño Díaz Valcárcel. Y, en mi
caso, de la primera dirección, *La otra luna;* y de la segunda, *La
cartera.*

Sobre todo, un cuento no ha de ser nunca eso que los román-
ticos llamaban "fragmento", que podía ser un trozo de novela,
manteniendo, generalmente, una situación o una descripción paisajística. El cuento ha de ser algo más que un ejercicio de estilo.

Es probable que el cuento exija una más lenta maduración en la
mente del escritor antes de comenzar a escribirse, que la novela.
En cambio, debe salir flúido de la pluma y sin interrupciones. Casi
todos mis cuentos han sido escritos de un tirón,[5] en bastante poco
tiempo, que no suele pasar de una hora y media. Pero antes me los
he contado a mí mismo muchas veces, involuntariamente, mientras
camino en mis ocupaciones corrientes. Y nunca haciendo modi-
ficaciones; más bien, continuándolos o hallando el final que en las
primeras versiones no existe.

El lenguaje creo que ha de ser sencillo, pero no por ello el
autor ha de estar mal provisto de vocabulario, como tampoco de invención. El cuentista mediocre puede sorprender con un cuento
superior a sus fuerzas, pero al reunir varios se denuncia.[6] Igual
ocurre con el empleo de una fórmula, que suele haberse escamoteado
a otro, generalmente extranjero.

En España hay buenos cuentistas desde la Edad Media hasta
Clarín,[7] por no citar algunos de los muy buenos actuales y come-
ter olvidos. Es más, hay escritores de "alto empeño" que hoy se

---

[4]**Hemingway ... Brent:** two innovators of narrative style in the twentieth century.
[5]**de un tirón:** *at one sitting* [tirón: pull].
[6]**se denuncia:** *he gives himself away.*
[7]**Clarín:** Leopoldo Alas, Clarín, a noted novelist and literary critic of the late nineteenth and early twentieth centuries.

van olvidando como novelistas y que en cambio tienen en su haber
cuentos excelentes. Es lo que ocurre con Alarcón,[8] can Jacinto
Octavio Picón,[9] con el mismo José Francés.[10]

---

[8]**Alarcón:** Pedro Antonio de Alarcón, another well-known novelist of the turn of
the century.

[9]**Jacinto Octavio Picón:** a lesser-known novelist of the same period as Clarín and
Alarcón.

[10]**José Francés:** another contemporary of Clarín and Alarcón.

COBALTO

El aire de los motores alzó un poco el ala delantera de un sombrero
que tenía puesto un americano sentado en la terraza que dominaba el aeropuerto. También movió el borde de alguna falda y los mantelillos que
cubrían las mesas. Pero el repetido fenómeno no conmovió a nadie. Sólo
a una moscarda que se vió derribada entre las botellas coca-cola y las naran- 5
jadas que el sol en su despedida galardoneaba con tonos de jugos naturales.[1]
El avión partió y otro vino a ocupar su lugar. Una delegación de españoles se dirigió a él. El grupo ascendía con cierto aspecto de tropel, con
tímido apresuramiento algunos, como de hacerlo por primera vez; otros
con la naturalidad de lo cotidiano, y hasta algún otro con la alegría ingenua 10
de quien entra en una barraca de verbena.[2]
La moscarda se repuso. Volvía a engañarse con los tonos de color de
los vestidos, las uñas de las mujeres, los falsos colorines de las bebidas.
Tropezaba tontamente con el vidrio de los vasos, se deslumbraba en la
talla de las botellas de espumoso,[3] se engolosinaba con migas dulzonas, se 15
emborrachaba de luz.
Quería buscar la sombra. La apartaban manos, movimientos sobre o
en torno a la mesa. Decidió alejarse. Correr por la estepa de sus millares
de antepasados.[4] A soportar todo el sol de Castilla hasta dejarse caer a la
sombra de un guijarro o una espiguita. Topó con algo que no se veía y la 20
impedía pasar. Una pared gris azulado. Y nuevas superficies de luz con
las que se tropezaba. Hasta que un hueco la absorbió con su aire en
sombra.
Se dejó arrastrar dentro. Se arrinconó en la curva esquina de una
ventanilla. Se amodorró. Dejó correr el tiempo. Alguna vez inició movi- 25
mientos y se arrepintió. Trataron de asestarle golpes[5] con un periódico

---

[1]**galardoneaba ... naturales**: *decorated with shades (drawn from) natural juices.*
[2]**con la alegría ... de verbena**: *with the innocent pleasure of one who enters a booth at a*
  street-dance.
[3]**se deslumbraba ... de espumoso**: *it became dazzled by the design of the bottles of*
  sparkling wine.
[4]**Correr ... de antepasados**: *Cross the steppes of its thousands of ancestors.*
[5]**Trataron de asestarle golpes**: *They tried to swat it.*

7

doblado. Encontró otro ángulo donde permanecer inmóvil. Era peligroso
moverse. Ni siquiera oía su propio zumbido. Era mejor permanecer quieta.
La delegación bajó del avión. La moscarda salió con ellos. Estuvo un
tiempo en su ángulo olvidado y luego encontró un lugar tranquilo en el
5   omóplato[6] de uno de los viajeros. Le acompañó hasta el hotel. Durmió
en el espejo del cuarto de baño. Al otro día le siguió. Encontró cómodo ir
en el hueco que dejaba la cartera que llevaba en la mano entre la tapa y el
alto de algunos papeles.[7]

La delegación se dividió en grupos. Uno de ellos llegó a un edificio de
10 bella y escueta arquitectura. Lo custodiaban soldados alerta como rode-
ados de un enemigo invisible que pudiera atacar de un momento a otro.
Dentro, todavía volvieron a subdividirse los visitantes. Tres de ellos se
recubrieron con claras vestiduras entre flexibles y rígidas. La moscarda
abandonó la cartera. Se situó tras el colgante cinturón trasero de las batas,
15 sigilosa, como si supiese que estaba burlando la vigilancia de centinelas,
sabios y cazadores de espías.

Cruzaron habitaciones blanquísimas. Los visitantes se inclinaban sobre
pequeños tubos negros, turnándose para mirar. Atisbaban por ventanas
redondas, como de barco. Al fin pasaron a un jardín. Maravilloso jardín.
20 El sueño de una, de varias, de todas las generaciones de moscardas.

El lugar tenía frescura sin ser sombrío. El verde de las hojas era denso,
húmedo. Los peciolos, más claros, sostenían, carnosos y firmes, las superficies brillantes que se tendían a una luz igual y un aire vigorizante. Un
aire sin corrientes molestas. Una luz siempre igual, como la de un cristal
25 de tres dimensiones por cuyo interior se pudiese volar.

La delegación, en su traje antiséptico, oía unas explicaciones. Del
centro de lo que parecía un surtidor surgía un eje brillante,[8] con un engruesado cilindro en la punta, que giró varias veces, como un periscopio. Las
explicaciones seguían . . . "Cobalto . . . , radiaciones . . . , cuatro veces
30 al día . . . , mutaciones . . ."

La delegación abandonó el jardín encantado. La moscarda ya no estaba
con ellos. Continuaba en el mágico parque. Sentía, mayor que nunca, la
tentación a sumirse en aquel todo cautivante.[9] Buscó el envés de una hoja.
Fue poniendo huevecillos en ella y quedó pegada, insomne y dormida al

---

[6]**en el omóplato**: *on the shoulder blade.*
[7]**entre . . . algunos papeles**: *between the lid and the top of some papers.*
[8]**surgía un eje brillante**: *a bright axle emerged.*
[9]**sumirse . . . cautivante**: *to submerge itself in that total, captivating surrounding.*

mismo tiempo. Pronto su escasa sustancia[10] abandonaría la más intemporal estructura externa.

El brillante cilindro siguió funcionando varias veces al día. Su invisible radiación caía sobre las plantas, que transformaban el color de sus flores, rompían la eterna estructura trímera o pentámera de sus frutos,[11] perdían las hojas o las engrosaban monstruosamente. Algunas veces penetraban hombres y recogían ejemplares o tomaban notas. Uno de ellos fue el primero que hizo la observación: un insecto caído junto al tallo de una de las plantas. Miró la cubierta plástica que cerraba el jardín. Recogió con cuidado el bichejo[12] en un tubo transparente. Era un extraño díptero, con una cabeza descomunal[13] en que la red de ojos había crecido extrañamente. Luego descubrieron más ejemplares torpones[14] al pie de las plantas, aunque hubo uno que trató de emprender el vuelo.

Todas fueron a reunirse en la misma vitrina. Todas pasaron también a ser una descripción minuciosa en una cartulina con su fotografía de frente y de perfil. Los hombres aquellos discutieron muchas horas inclinados sobre ellas. Se oyeron algunas palabras: "... cobalto, radiaciones ..., mutación ..., fauna exótica ..., generación espontánea ..."

En tanto, la moscarda progenitora no era más que unos fragmentos arrugados de cubierta quitinosa,[15] disimulados entre la tierra oscura del jardín.

CUESTIONARIO

1. ¿Dónde empieza la narración?
2. ¿A quién molestó el aire?
3. ¿Qué ocupó el lugar del avión que acababa de partir?

---

[10]**Pronto su escasa sustancia**: *Soon its scarce substance.*
[11]**rompían ... frutos**: *broke down the eternal three- and five-sided structure of their fruits.*
[12]**el bichejo**: *the little bug.*
[13]**un extraño ... descomunal**: *a strange insect, with an extraordinary head* [**díptero**: two-winged].
[14]**más ejemplares torpones**: *more clumsy specimens.*
[15]**unos fragmentos ... quitinosa**: *a few wrinkled fragments of its shell-like substance.*

4. ¿Quiénes subieron al nuevo avión?
5. ¿Qué hacía la moscarda?
6. ¿Qué decidió hacer cuando la apartaban de las mesas?
7. ¿Dónde se metió, buscando sombra?
8. ¿Cómo descubrió que era peligroso moverse?
9. ¿Cómo salió del avión?
10. ¿Dónde durmió?
11. ¿En qué fue al día siguiente con uno de los delegados?
12. ¿Qué hicieron los delegados en aquel edificio?
13. ¿A dónde pasaron tras mirar en los tubos negros?
14. ¿Qué había en el jardín?
15. ¿Qué hizo la moscarda cuando los hombres salieron?
16. ¿Qué buscó?
17. ¿Para qué?
18. ¿Qué encontró uno de los hombres?
19. ¿Por qué miró la cubierta del jardín?
20. ¿Qué conclusiones sacarían los hombres de ciencia?

TEMAS

1. Describa un viaje en el que haya tenido que pasar mucho tiempo en el aeropuerto.
2. Díganos qué le llamaría la atención si usted fuera una mosca.
3. Explique la clase de experimentos que hacían los delegados.
4. Cuéntenos un episodio parecido al de la mosca, que llegó a un sitio por casualidad.
5. La moscarda se hizo famosa por un descuido de los hombres de ciencia. ¿Puede aplicarse esto a otras situaciones? Explique.

EJERCICIOS

I. *Complete las frases siguientes con la palabra o palabras apropiadas.*

1. El aire del _____ no conmovió a los viajeros.
2. Pero una _____ cayó entre las botellas.

3. Más tarde un _____ de gente abordó otro avión.

4. La moscarda buscaba los _____.

5. Decidió volar _____ de allí pero no pudo.

6. Un poco de _____ en sombra la atrajo.

7. Estaba dentro del _____, en una ventanilla.

8. Bajó del avión en la _____ de un viajero.

9. Al día siguiente _____ con él a un edificio.

10. Allí se quedó en el _____ de un hombre de ciencia.

II. Elija la expresión que completa las frases siguientes.

1. Con los sabios llegó a un (*aeropuerto, tubo, jardín*).

2. Allí las flores no tenían (*color, sombra, perfume*) pero sí frescura.

3. La (*hoja, luz, rosa*) se mantenía por un igual.

4. Los delegados escuchaban explicaciones (*raras, confusas, científicas*).

5. Al marcharse los hombres la moscarda se (*lavó, acostó, quedó*) allí.

6. Puso (*lápices, huevos, patatas*) en una hoja.

7. Al descubrir los sabios aquellos insectos, se (*sentaron, rieron, asombraron*).

8. La radiación había (*mejorado, cultivado, alterado*) su aspecto.

9. La cría de la moscarda no era (*azul, alta, normal*).

10. Los sabios nunca (*hablaron, cenaron, supieron*) cómo habían llegado allí los insectos.

III. Basándose en el texto, complete las frases siguientes.

> EJEMPLO: _____ corrientes molestas.
> Aire sin corrientes molestas.

1. No era más que _____.

2. Ya no _____.

3. Tenía puesto _____.

4. Ni siquiera _____.

5. Pasaron a ser _____.

IV. Traduzca al español las frases siguientes, tomadas casi literalmente del texto.

1. He had his hat on.

2. The fly couldn't even hear its own buzzing.

3. A breeze without even a draft.

4. The fly was no longer with them.
5. Insects with enormous heads.
6. They became a scientific description.
7. It was nothing more than a few fragments.

LA MULA DE BONIFACIO

Bonifacio no era pobre. En el pueblo nadie era pobre. Y si bien se mira[1] tampoco nadie era rico. Todo se reducía a que algunos tenían un par de mulas y hasta un borriquillo. Otros, la mayoría, como Bonifacio, una sola. Esa en que caminaba montado, a paso muy lento cabeceando él y la mula, mientras el sol, ya en el final de su visita por aquellas tierras se entretenía resbalando de uno en otro de los terrones que llenaban el rastrojo.[2]

La mula cabeceaba por el cansancio y por el olvido de ella en que se encontraba Bonifacio. Hacía rato que la había abandonado a su andadura voluntaria y dejaba balancear su cuerpo al tiempo que sus pensamientos, insistentes, girando en derredor de una idea central:

—No hay pobres en el pueblo. No somos pobres. En nuestro pueblo no hay ninguno que tenga que echarse a los caminos a pedir limosna,[3] como en Canales o la Riva. Todos tenemos nuestro piazo de tierra[4] y nuestra caballería. Tenemos la mula —Dios quiera que no falte— y el cerdo, y la mujer y los chicos. Tenemos nuestro piazo de tierra y tenemos nuestra mula.

Se le enredaban y repetían las ideas como se le hubiera enredado la lengua si las hubiera estado pronunciando en voz alta. El sol caía vertical tras el límite de los oteros y sus rayos trataban de asirse a unas altas nube-cillas,[5] lo único ya que encontraba a su alcance. Las tierras —ocres, rojizas, marrones— se iban transformando en grises y sombrías. La mula, torpe y maliciosa, había abandonado el camino y arrancaba matojos con los grandes dientes superiores, en una pequeña disminución de la marcha, que masticaba luego ruidosamente.

Bonifacio no se daba cuenta. La mula aprovechaba un tropezón para

---

[1] **Y si bien se mira**: *And looking at it more closely.*
[2] **se entretenía ... rastrojo**: *amused itself by sliding on the mounds that filled the (wheat) stubble.*
[3] **echarse ... limosna**: *to go out begging on the highway* [**echarse**: to throw oneself].
[4] **nuestro piazo de tierra**: *our bit of land.*
[5] **asirse ... nubecillas**: *to hold on to a few high little clouds.*

13

dar una sacudida, agachar la cabeza, arrancar un bocado y continuar su camino. A veces se detenía un breve instante. Bonifacio, maquinalmente, apretaba las rodillas y la mula continuaba el camino. Las detenciones se fueron haciendo más próximas y morosas.[6] Una voz, lenta, arrastrada:

5   —¡Muú-la!

Un trotecillo, después el paso normal, con una sacudida de orejas, y Bonifacio abandonado a su caminar interno:

—No soy pobre, y cuando se me apetece me voy hasta el otro pueblo y me meto en la taberna. Tengo poco, pero lo poco es mío y trabajo como
10   quiero. Hoy: he cogido el azadón para dar vuelta a unos surcos. No tenía ganas de trabajar y no me he bajado de la mula. He seguido camino adelante. Y he pasado la tarde en la taberna. Y la Luciana no dice nada. Y si lo dice aquí estoy yo, el Bonifacio, para hacerla callar con una voz.

Una voz seca, cortante, como el restallido de una tralla,[7] como la
15   colérica voz que se dirigía a la mula que se había detenido.

—¡Muula! ¡Ospera![8]

Sobresalto y trote del animal, que alzó la cabeza y enmarcó en el ángulo de sus orejas la silueta del pueblo en lo alto del cerro. Bonifacio volvía a lo suyo. Se acompasaba bien con la mula su monótono rumiar de ideas. No
20   soy pobre. Hago lo que quiero. A ver qué cosa mejor voy a esperar . . .

Cabeceaba. Se dormía. Llegaría así, como otras veces, hasta la puerta del corralón. Allí, sin despertarse ni estar dormido del todo, quitar los arreos a la mula, dejarlos a la entrada del portal y sentarse a la orilla del fuego. La Luciana podía dar vueltas, callada, a su alrededor, o gruñir lo que
25   quisiera. Le iba a dar igual.[9]

Fue él, no la mula, quien se sobresaltó:

¿Qué pasaba? Lo comprendió. La mula estaba parada. Hizo un movimiento con el ronzal, aguijó con las rodillas.[10] Lanzó un chasquido y un nuevo grito. Nada.

30   El animal se había parado ante la negra sombra que cruzaba el camino. La pared de la ermita alargaba su sombra con el sol poniente. La mula se resistía a pisarla. Bonifacio gritó y dio tirones. El animal se resistía en el momento en que sufría la sacudida y luego volvía a una expresión de obedi-

---

[6]**se fueron . . . morosas:** *became more frequent and laggard.*
[7]**como . . . tralla:** *like the cracking of a whip.*
[8]**¡Ospera!:** exclamation used to make a mule move.
[9]**Le iba a dar igual:** *He wouldn't care.*
[10]**un movimiento . . . rodillas:** *a movement with the halter, spurred (the mule) with his knees.*

ente mansedumbre.[11] Levantaba una pata y la volvía con ruido al suelo. Pero no adelantaba un paso.

Bonifacio soltó el ronzal. La mula agachó la cabeza y se puso a arrancar hierbecillas, que trituraba con ruido, como si estuviera pastando en el campo, como si nada pasara. La dejó así unos momentos. Luego tiró otra vez. La mula arremangó el morro[12] y enseñó los dientes protestando. Bonifacio se dejó resbalar al suelo. La palmeó en la parte superior de la pata, junto al cuello, empujando como si fuere un portón que se resistiera a dejarse abrir. La mula retrocedió, ladeándose, y se volvió indiferente, hacia unos cardinchos que el movimiento había puesto a su altura.

—¡Muúla! ¡Muúla . . . dios!

La sombra de la ermita iba creciendo y se afilaba por el rastrojo adelante. El cielo iba apagando su luz y le cruzaban jirones cárdenos. El día se despedía, a la vista del pueblo, solo separado por una vaguadilla.[13]

Bonifacio se llenaba de ira e impotencia al mismo tiempo. Dio dos puñetazos a la mula que resonaron sordamente, como en un tambor relleno de trapos.[14] Una de sus manos dio en el azadón lastimándose un nudillo. Pero no se dio cuenta. De un solo movimiento el pulido mango del azadón se desarmó de la albarda[15] y se blandió en su mano.

—¡Muúla-la!

Un vuelo del pesado azadón y se pulverizaron las cabezas de los cardos. Otro, un golpe duro con un metálico retintín[16] como si hubiera dado en la collera, y la mula cayó al suelo, desplomada, en menos que habían llegado a la tierra los tronchados cardos.

—Muúla.

Se agachó a abrazarla. Imposible. La mula pesaba más que la ermita. Estaba más arraigada que ella. Olvidó el azadón, se abrazó al cuello del animal. No hacía un solo movimiento. Bonifacio comprendía y no quería comprender. La mula muerta así, por nada, como de un cólico maligno. ¡Sólo por un palo!

Empezó a gritar sus pensamientos.

—¡Ahora soy pobre! ¡Qué vamos a hacer sin la mula!

---

[11]**una expresión . . . mansedumbre**: *an expression of meek obedience.*
[12]**arremangó el morro**: *rolled back its lips.*
[13]**por una vaguadilla**: *by a little stream-bed.*
[14]**como . . . trapos**: *like on a drum filled with rags.*
[15]**el pulido . . . albarda**: *the polished handle of the hoe slid out of the packsaddle.*
[16]**con un metálico retintín**: *with a metallic ring.*

Las mozas que estaban en el pozo del fondo de la vaguada distinguieron el extraño baile de Bonifacio.

—¿Vamos a decirle a la tía Luciana que el Bonifacio viene borracho y está bailando junto a la ermita?

CUESTIONARIO

1. ¿Por qué no era pobre Bonifacio?
2. ¿Qué consideraba él ser pobre o rico?
3. ¿Qué tenía Bonifacio?
4. ¿Por dónde iban él y su mula?
5. ¿En qué pensaba el hombre?
6. ¿Cómo andaba su mula?
7. ¿Era de día o de noche?
8. ¿Qué cambiaba el color de la tierra?
9. ¿Qué había hecho Bonifacio ese día?
10. ¿Qué decía de su mujer?
11. ¿Qué pensaba hacer al llegar a casa?
12. ¿Dónde se detuvo la mula?
13. ¿Qué hizo el hombre para obligarla a andar?
14. ¿Qué hizo al bajarse de la mula?
15. ¿Qué hacía la mula mientras tanto?
16. ¿Con qué pegó el hombre al animal?
17. ¿Qué efecto produjo esto?
18. ¿Qué significaba esto para Bonifacio?
19. ¿Quién observaba a Bonifacio?
20. ¿Qué pensaban hacer las jóvenes?

TEMAS

1. Háblenos sobre una mula que usted conozca.
2. Díganos en qué consiste para usted ser pobre o rico.
3. Cuéntenos algo que usted ha visto de lejos y ha interpretado mal.
4. Háblenos de una cosa que Vd. haya destruído sin motivo.
5. ¿Qué medio produce hombres como Bonifacio?

EJERCICIOS

I. Complete las frases siguientes con la palabra o palabras apropiadas.

1. Bonifacio no era _____ ni rico.
2. Iba montado en su _____ a la caída de la tarde.
3. La mula estaba _____ y andaba despacio.
4. Bonifacio daba gracias a Dios por la _____ que tenía.
5. La mula iba comiendo matas y _____.
6. Ese día Bonifacio no tenía ganas de _____.
7. Por eso había ido a la _____.
8. Su mujer no _____ nada.
9. Luciana era la _____ de Bonifacio.
10. Gritaba a la mula para que siguiera _____.

II. Elija la expresión que completa las frases siguientes.

1. Montado en la mula, Bonifacio iba (*cantando, durmiendo, pensando*).
2. Al llegar a casa iba a sentarse junto al (*cura, jamón, fuego*).
3. Cerca de la ermita la mula se (*sentó, durmió, detuvo*).
4. No se alteró cuando Bonifacio le dió (*naranjas, palmadas, lápices*).
5. Mientras tanto se acercaba la (*Luciana, procesión, noche*).
6. Bonifacio se (*lavó, calló, hirió*) con el azadón.
7. De un solo (*paso, pelo, golpe*) se desplomó la mula.
8. El animal no estaba dormido sino (*despierto, descansando, muerto*).
9. Las mozas (*reían, cosían, creyeron*) que Bonifacio estaba borracho.
10. De un solo golpe Bonifacio se quedó (*allí, muerto, pobre*).

III. Basándose en el texto, complete las frases siguientes.

      EJEMPLO: Si bien se mira _____.
                  Si bien se mira <u>nadie era rico.</u>

1. _____ no se daba cuenta.
2. No tenía ganas _____.
3. _____ a dar igual.
4. Trataban de asirse _____.
5. He pasado la tarde _____.

IV. Traduzca al español las frases siguientes, tomadas casi literalmente del texto.

1. Actually, nobody was rich.
2. The rays of the sun tried to hang on to some little clouds.
3. Bonifacio didn't realize it.
4. He didn't feel like working.
5. I spent the afternoon in the tavern.
6. It would be all the same to him.
7. The sky was slowly turning off its light.

OPERACION POESIA

Una hora que llenar. Entre la clase de matemáticas que acaba a las diez y una sustitución a las once. Dio unos pasos indeterminados por la calle. Vio una cafetería. Entró. Pidió una bebida y se sentó a una mesa. Sacó un cuaderno. Empezó a recordar qué cosas tenía que hacer en la jornada.[1] Pensó y escribió:

Que no se me pase enviar las flores a la amiga de mi madre:

Marta. Camelias y nardos.

Seguramente me llamará a la noche para darme las gracias. Veremos si logro que el domingo me deje salir con su hija a dar un paseo por el campo. Podríamos hacer unas fotos. Si hiciese buen día pondría un carrete de color.[2]

Domingo con sol: color.

Debe de ser ya la hora. Mientras llego a la Academia ... Explicaré algo que sirva de repaso:

Seno, tangente y vector.[3]

¡Ah!, y a la salida comprar el libro ese. ¿Cómo se titula? ¡Ah, sí!:

Los problemas de la vida.

La mano sobre el hombro, en golpe que no lo era por su fuerza, pero sí por la intención que denunciaba:[4]

—Acompáñenos.

Rostros vueltos desde la barra del mostrador. Curiosidad. Alguna pincelada de indignación.[5] Un poco de miedo. Mucho de autojustificación. La salida a la calle rompiendo la rutina incolora de la entrada.

El coche, aparcado y con la puerta entreabierta, en espera impaciente.

---

[1]**en la jornada:** *during his day's work.*
[2]**un carrete de color:** *a roll of color film.*
[3]**Seno, tangente y vector:** *Sine, tangent, vector.*
[4]**que no lo ... denunciaba:** *which really wasn't a blow in its intensity, but surely one in the meaning it conveyed.*
[5]**Alguna ... indignación:** *A few signs of indignation* [**pincelada:** brush stroke].

El viaje por calles que se tornaban desconocidas. El roce con dos cuerpos, colocado uno a cada lado, a cada curva o frenazo. Una pregunta:

—Pero ¿por qué?

Silencio que pronto diluyó el eco de la voz Frenazo.[6] Una calle
5 céntrica. El portal de una casa lleno de hipocresía en su amplitud acogedora. Encierro en una habitación hostil. De vez en cuando entraba o salía un individuo apresurado. Le repetía su pregunta:

—Pero, ¿por qué?

Siempre silencio. Al fin, uno de los que entraron, menos inteligente
10 o más humano, no pudo callar:

—Ya te enseñarán a ti a hacer poesías.

El decreto sólo contaba con algunos días de vida. El que seis años antes[7] dividió las poesías en legibles y no legibles para todos los públicos se había endurecido hasta límites severísimos. Se añadían las lecturas pri-
15 vadas a las públicas y se reducía la concesión de tarjetas a los cultivadores de la escritura medida. Se cayó con frenética meticulosidad sobre los textos escolares y algunos "slogan" publicitarios.

Los periódicos acogieron con entusiasmo la campaña. La "Operación poesía" se desarrollaba con éxito. Habían sido desenmascarados un
20 corrector de pruebas, dos redactores de noticias y hasta el administrador de una editorial.

Todo empezó años antes. Cuando los críticos y los historiadores comenzaron a revalorizar a Campoamor y Grilo.[8] Después vino el desempolvar poetas considerados puro prosaísmo por sus contemporáneos.
25 Tomó parte el Estado declarando géneros superiores la Fábula y la Aleluya.[9] Como una reacción en cadena vinieron el expurgo de antologías y manuales, la prohibición de ejercer la poesía sin estar colegiado, el "númerus clausus" para los vates[10] y, finalmente, la persecución.

La respuesta del agente sembró una momentánea confusión en su
30 cerebro, al girar sus ideas en busca de la solución. ¿Poesía, yo? Volvía a él la dorada luz cenital de la cafetería.[11] Nada de poesías. Estaba callado. No tenía ningún libro. Recordó que al detenerle le habían quitado el cuader-

---

[6]**el eco... Frenazo:** *the echo of screeching brakes.*
[7]**El que seis años antes:** *The one that six years before.*
[8]**Campoamor y Grilo:** two poets of the nineteenth century.
[9]**la Aleluya:** a monotonously recited prosaic type of verse.
[10]**el númerus... vates:** *the closed list (quota) for poets.*
[11]**la dorada... cafetería:** *the colored overhead light of the café.*

nito donde apuntaba. ¿Había allí poesías? No. Trató de memorizar qué cosas había en el cuaderno. Nada. Nada que explicase aquella alusión.

El primer interrogatorio fue en la misma habitación. La luz cenital se cambió en un suave escarlata[12] que introducía terror y desasosiego en el ánimo. El plástico del asiento se endureció. Una de sus patas cojeaba al   5 menor de sus movimientos. El hombre que había surgido ante él, anguloso y rectangular, preguntaba con sequedad:

— ¿Hace mucho que escribe poesías?

— ¿No estaba escribiendo una?

— ¿Negará que esto es una poesía?   10

Ante él, un cuadernito. La página donde había tomado los apuntes. Quiso leerla o recordar, pero aquélla hizo dar un salto al interrogador:

— ¿Profesor, ha dicho? ¿De qué?

— ¿De matemáticas? ¿No lo es de literatura o de poesías? ¿No lo ha sido accidentalmente? ¿No estudió las atávicas asignaturas[13] de filosofía y   15 letras?

—Soy muy joven para eso.

— ¿Ha leído usted muchos libros?

—No está prohibido.

—Ya lo sé, ya lo sé; pero ¿los ha leído?   20

—He leído algunos.

—Quizá sí. Antes de la prohibición.

— ¿Los ha escrito?

—No.

— ¿No es esto una poesía?   25

Y los cuatro renglones, breves y desiguales,[14] del cuadernito bailaban ante sus ojos.

Para el segundo interrogatorio fue conducido a una sala donde todo inspiraba confianza y tranquilidad. La silla se adaptaba sin hacerse sentir. Igual ocurría con la luz. Un hombre, de rasgos afables, con aspecto de pro-   30 fesor, le incitaba a atender.[15] En la mano tenía un puntero con el que señalaba lo escrito en el encerado:

> *Marta. Camelias y nardos.*
> *Domingo con sol: color.*

---

[12]**se cambió . . . escarlata**: *changed to a soft, scarlet color.*
[13]**¿ No estudió . . . asignaturas ?**: *Didn't you study the old courses?*
[14]**los cuatro . . . desiguales**: *the four lines of notes, short and unequal.*
[15]**le incitaba a atender**: *made him want to pay attention.*

Seno, tangente y vector.
Los problemas de la vida . . .

—¿Es usted el autor de esta poesía, perdón, de este comienzo de una poesía?

5   Nuevas negativas.

—Me asegura usted que esto no es una poesía. Bueno, verdad es que no se ajusta exactamente a un esquema métrico, pero puede ser que intente innovaciones. ¿Cómo explica usted haber escrito estas palabras?

Explicaciones con rubor, ira y timidez[16] hablando de la amiga de su
10   madre, de su hija, de las flores, de las fotografías, de la lección de matemáticas, del libro que tenía que comprar . . .

—Todo eso está muy bien, pero cómo explica usted el ritmo, los octosílabos, el parentesco con precedentes.[17] Bueno, bueno, comprobaremos. ¿Se dejaría conectar el detector?

15   Se encogió de hombros[18] y dejó que aquel hombre hiciera. Apenas débil corona de alambre en torno de la cabeza y otra en una muñeca. El técnico insinuador, casi acariciante, le pronunciaba palabras:

—Ultraísmo.[19] Generación del veinticinco.[20] Guillén. Salinas.[21]
Décima . . .[22]

20   Con un gesto como el de un médico que ha concluído un análisis, se irguió.

—Bien. No veo que haya nada. Creo que podrá irse en seguida.

Salió a la calle. Se iba repitiendo: "Nunca he hecho poesía. Nunca he hecho poesía." Tuvo que esperar a que pasase un coche para cruzar. El
25   brillo de la luz en el barniz del carruaje le llenó de contento. Advirtió cómo se movía ante él la ramita de un árbol. Casi al mismo tiempo vio a su lado a un niño impaciente en cruzar. Una frase nacida de no sabría dónde le brotó al pensamiento:

Mientras haya en el mundo primavera . . .

30   No había pronunciado las palabras, pero se llevó la mano a la boca. Se detuvo, aunque no había ninguna calzada que cruzar. Miró a uno y otro

---

[16]**Explicaciones . . . timidez:** *Explanations made bashfully, angrily, and timidly.*
[17]**los octosílabos . . . precedentes:** *the octosyllabic lines of verse, the relationship with earlier (poetic) movements.*
[18]**Se encogió de hombros:** *He shrugged his shoulders.*
[19]**Ultraísmo:** poetic movement of the early twentieth century.
[20]**Generación del veinticinco:** an eminent group of poets that came into prominence in 1925.
[21]**Guillén, Salinas:** two poets of the above-mentioned group.
[22]**Décima:** a poetic form.

lado. Por si acaso, cambió de acera y continuó el camino, cabizbajo, en dirección a su clase de matemáticas.

CUESTIONARIO

1. ¿Cuánto tiempo tenía libre?
2. ¿Qué hizo para pasar la hora?
3. ¿Qué pidió?
4. ¿Qué apuntó?
5. ¿Qué notó sobre su hombro?
6. ¿A dónde le llevaron?
7. ¿Cómo era la habitación?
8. ¿Qué preguntó?
9. ¿Qué respuesta recibió?
10. ¿Qué le aclararon, por fin?
11. ¿Qué dictaba aquel decreto?
12. ¿Qué tenía él que ver con la poesía?
13. ¿Qué le preguntaron en el primer interrogatorio?
14. ¿Cuál era su profesión?
15. ¿De qué le acusaban?
16. ¿Quién dirigió el segundo interrogatorio?
17. ¿Qué explicaciones quería el señor del puntero?
18. ¿Cuál era la verdadera explicación?
19. ¿Qué iba pensando al salir de allí?
20. ¿Por qué se llevó la mano a la boca?

TEMAS

1. Cuéntenos cómo anota usted las cosas que tiene que hacer.
2. Narre un episodio en el cual alguien haya sido acusado en falso.
3. Díganos algo sobre la poesía que Vd. prefiere.
4. Cuéntenos algo que Vd. haya hecho y que podría tener consecuencias parecidas a las del cuento.

5. ¿Qué conclusiones saca V̇d. sobre la censura?

6. En su país, ¿ocurren o han ocurrido hechos análogos?

EJERCICIOS

I. Complete las frases siguientes con la palabra o palabras apropiadas.

1. El protagonista enseñaba _____.

2. Entró en una _____ para hacer tiempo.

3. Apuntó las _____ que tenía que hacer.

4. Camelias y nardos eran las _____ para la amiga de su madre.

5. Si el domingo hiciera sol haría fotos a _____.

6. Lo de tangente y vector era para _____.

7. Los problemas de la vida era _____.

8. De pronto le pusieron una _____ en el hombro.

9. Le llevaron en un _____ a una casa en una calle céntrica.

10. No _____ su pregunta.

II. Elija la expresión que completa las frases siguientes.

1. Había un nuevo (*límite, progreso, decreto*) sobre la poesía.

2. Le acusaban de escribir (*con tinta, mal, versos*).

3. Habían (*cortado, impreso, censurado*) muchas antologías poéticas.

4. Creían que era profesor de (*ciencias, baile, literatura*).

5. Negó que aquello fuera (*cierto, verde, poesía*).

6. Por último le pusieron el aparato detector de (*coles, letras, mentiras*).

7. Había dicho la (*comedia, verdad, mentira*).

8. Le dejaron (*sentado, entrar, salir*).

9. Al salir, lo que veía le parecía (*bonito, vivo, poético*).

10. Se tapó la boca para no pronunciar (*nada, palabras, versos*).

III. Basándose en el texto, complete las frases siguientes.

EJEMPLO: Se encogió _____.

Se encogió de hombros.

1. Me asegura _____.

2. Dio unos pasos _____.

3. De vez en cuando _____.

4. Debe ser ya _____.

5. Que no se me pase _____.

IV. Traduzca al español las frases siguientes, tomadas casi literalmente del texto.

1. He took a few steps along the street.

2. I mustn't forget to send the flowers.

3. It must be time to go to class.

4. Now and then somebody entered or left.

5. The campaign was enthusiastically received.

6. You insist that this is not a poem.

7. He shrugged his shoulders.

NO TENIA CORAZON

Siempre dijo a los amigos que prefería la maquinilla eléctrica porque le permitía pensar, pero no pensaba. Al revés, la prefería porque no tenía la menor necesidad de pensar,[1] ni siquiera en lo menos que hay que hacerlo con la brocha, la hoja, las cortaduras.[2]

5 No pensaba. No tenía puesta su atención en nada. Ni siquiera se daba cuenta de que estaba flotando, abandonado al rumorcillo de la pequeña segadora,[3] perdiendo la noción del tiempo y resistiendo pasivamente a la necesidad de la obligación.

Le irritó el timbre del teléfono. Sonaba impertinente, inoportuno, 10 molestón. Abandonó la maquinilla, de cualquier manera, y marchó hacia el aparato, mientras lanzaba una mirada mecánica al reloj: "¡Pesados![4] Aún faltan diez minutos. Llego a tiempo. Estas cosas empiezan siempre después de la hora. ¡Pesados! ¡Que esperen! Esto será cosa del guardia Carranque . . ."

15 Diez minutos antes, el guardia Carranque había abandonado el teléfono tan descuidadamente como don Jacinto su maquinilla, pero la mano de otro guardia lo colgó debidamente y marcó luego el número del superior. Carranque, entre abatido y firme, aguardaba órdenes.

Estaba sentado en el borde del sucio banquillo, muy al borde, como si 20 no fuese un banquillo, sino una silla, y no se hallase en un local habitual, sino un lugar de respeto, en que se hallara de visita. Se llevaba las manos a las sienes y se desordenaba el pelo sin darse cuenta, en movimientos inacostumbrados. Miraba al suelo. Evitaba encontrarse con la muda interrogación de sus compañeros. Y no lo veía, sino que contemplaba las dos 25 camas turcas de una habitación, llenando la pequeña estancia, junto con una gran cómoda, y en una de ellas una figura tendida, haciendo poco bulto bajo la mal colocada colcha verdosa.

---

[1]**no tenía . . . pensar:** *he had no need to think* [**menor:** least].
[2]**la brocha . . . cortaduras:** *the brush, the razor blade, the cuts (that follow).*
[3]**la pequeña segadora:** *the small electric shaver* (lit., *the small harvester*).
[4]**¡Pesados!:** *The bastards!*

Tampoco pensaba. Saltaba de la tenaz visión de la anterior escena a un rápido producirse y encontrarse de pensamientos. Su suegra atacándole con frases hirientes, el relajamiento que sentía tras el estallido de indignación que ella lograra provocar en él, el inconcebible accidente y, sobre todo, volvía una y otra vez una idea dominante: el acto.[5] Tenía que celebrarse a las diez. Ya debía faltar poco. Y él no podía presentarse. ¿Qué iba a pasar? ¿Qué dirían todos sus compañeros? ¿Y la prensa? ¿Y toda la ciudad? Ya no tenía remedio. ¡Ahora se entregaba en manos de un inmediato y fatal porvenir!

Don Jacinto llegó al teléfono: "Sí. ¿Cómo? ¿Carranque? ¡Claro que sabía yo que era cosa de Carranque! Aún falta algo para las diez ... ¿Cómo? ¿Que no ... ? ¿Carranque? ¡Increíble! ¿Su suegra? ¡Pero ... no puede ser! ¿Dónde está Carranque? ¡Que quede detenido![6] ¿Dónde está? Que no se mueva de ahí. No, que no se suspenda el acto. Esperen mi llamada."

El hombre que volvía del teléfono era otro del que había ido. La maquinilla eléctrica funcionaba más trabajosamente. Ya no descansaba la mente. ¿Qué había podido suceder? No tardó en ser él mismo quien volviera al teléfono:[7]

—Sí soy yo. Entérese y explíqueme lo ocurrido a Carranque. Y encuentren una solución. El acto no puede suspenderse.

El guardia Carranque era popularísimo en la ciudad. El guardia Carranque era más que eso: un símbolo de muchas cosas que habían ido desapareciendo de la vida diaria, acudiendo a él como para formar un último baluarte, asirse unas a otras y no sucumbir para siempre.[8]

Allí, en su puesto central de una gran plaza, apenas defendido por un palmo de altura sobre el nivel del pavimento, deteniendo o regulando el tráfico con un leve ademán de la mano o el brazo,[9] en silenciosa y diaria tarea había convertido su trabajo en una especie de apostolado. El comedimiento, la tolerancia, la sonrisa acompañada a la recriminación justa e inevitable lo convertían en una obra tutelar que iba orlándole con una aureola de simpatía.

La ciudad contaba con muchos miembros de la policía urbana pero

[5] **el acto:** *the ceremony.*
[6] **¡Que quede detenido!:** *Keep him in custody!*
[7] **No tardó . . . teléfono:** *It was not long before he himself went back to the telephone.*
[8] **asirse . . . siempre:** *(these things) holding on to each other, so as not to perish forever.*
[9] **con un leve . . . brazo:** *with a slight gesture of his hand or arm.*

con un solo guardia Carranque. El era quien abandonaba el centro de la plaza para tomar delicadamente del antebrazo a una viejecita y pasarla de una a otra acera, sin la menor prisa, con la pausa solemne y graciosa con que podría acompañarla en un cotillón. Su cruce era el preferido de todos los ciegos. Y a pesar de que estas cosas tardan en abrirse camino en el conocimiento de las gentes, en Carranque pensó el Ayuntamiento cuando decidió abrir una nueva puerta y pensó que no valía cualquier guardia para vigilar a los niños que saldrían a ella en las soleadas mañanas de primavera.

Allí fue, con dolor de sus habituales, que llegaron a protestar de la medida que los alejaba de su ángel guardián. Su mano frenaba el alocado paso de los vehículos para convertir la calzada en un jubiloso trotar de piernecillas acuciadas por temerosas advertencias de madres o criadas.[10]

Y lo más prodigioso es que todo ello sucedía sin protesta ni molestia para los conductores de los automóviles. Taxistas o apresurados viajeros sonreían como si no formaran parte de la escena, sino que la estuvieran contemplando.

El inadvertido suceso diario pasaba inadvertido hasta que a un periodista se le ocurrió hacer tema de Carranque para su semanal colaboración en una revista ilustrada. La sugestiva prosa del artículo y las fotografías llevaron a la mente de todos la idea hasta entonces sólo expresada por algunos. Por entonces ocurrió que un conductor borracho atropelló a un colega de Carranque y, probablemente, por un impensado reflejo recogió éste la simpatía popular que despertó el accidente.[11]

De ese modo, el reportaje no se perdió entre las páginas que contaban una vez más la boda de una princesa, las manos de seis dedos de una vecina de Cervera de Buitrago y la historia de un "gangster" norteamericano. En un diario ilustrado de la mañana, un conocido caricaturista acertó a dar los rasgos de Carranque a un guardia urbano con alitas que regulaba el tránsito de los bienaventurados, y un lector de un diario de la noche escribió al director, preguntándole con cierta indignación para cuándo se dejaba la concesión de medallas a los bienhechores. Y con la rapidez de una proliferación de hongos[12] brotaron artículos y gacetillas solicitando la concesión de una medalla al benemérito Carranque.

Y así se decidió. Y el guardia Carranque iba a recibir de sus superiores

---

[10]**un jubiloso ... criadas:** *a joyous running of little legs spurred on by fearful warnings from mothers or servants.*

[11]**por un ... accidente:** *by a spontaneous reflex action the latter* (Carranque) *received the popular sympathy aroused by the accident.*

[12]**Y con ... hongos:** *And in the rapid way that mushrooms spring up.*

la medalla que inmortalizaba y premiaba su devoción a un servicio aquella mañana, precisamente aquella mañana.

Don Jacinto no estaba tan sereno como algún día comentarían sus subordinados. En poco tiempo habló por teléfono con los que estaban por encima de él, les dio la seguridad de arreglarlo todo y reclamó al aparato al atribulado Carranque. Se dirigió a él en tono jovial, un poco forzado, como a un niño delicado de salud, al que se ha decidido no tomar en cuenta una diablura que a otro hubiera costado unos azotes. La consigna que se había trazado[13] para el momento era quitarle importancia, sonreir a la mañana que se ofrecía apacible y de fiesta y dejar lo demás para luego. Pero no había logrado transmitir su prefabricado entusiasmo al guardia que le escuchaba.

—Con perdón, me parece que no soy digno de recibir la medalla.

Don Jacinto explotó:

—Usted obedece. Espero encontrarlo en su puesto.

El guardia Carranque era viudo. Vivía con su suegra. Al guardia Carranque no le había tratado la vida con demasiados mimos.[14] Su mujer murió pronto, y si no le dejó descendencia que diluyese sus penas,[15] sí le legó una madre que durante largo tiempo le miró con ojos hostiles, como en una perenne denuncia. Nunca había comprendido que su hija, que había tenido ocasión de casarse con el dueño de la tienda de la esquina, le dejase para casarse con un guardia de la porra[16] —esa era la única denominación que le daba en público y en la intimidad de sus resentidas rumias—. Ella y su hija merecían mucho más. Y cuando ésta murió, aún sin motivo para una acusación, no dejaba de creer que si hubiera seguido sus consejos aún vivirían las dos en una felicidad gratuitamente ensoñada. La falta de medios propios, el tener que aceptar la vida con el yerno aumentaron sus rencores. Meses de silencio, apenas rotos por la inevitable comunicación. Carranque redoblaba sus obsequios. Hubiera puesto en ella todas las ternuras vacantes por la muerte de su mujer. En vano. Hasta que el paso del tiempo hundió en gris cotidianidad al odio.[17] Luego vino la familiaridad, el trato desabrido, la recriminación constante, la perenne acusación de ineptitud, apro-

---

[13]**La consigna . . . trazado**: *The watchword he had drawn for himself* (i.e., *the plan he had laid out for himself*).
[14]**no le había . . . mimos**: *life hadn't treated him too gently* [**mimos**: loving care].
[15]**si no . . . penas**: *if she didn't leave him any children to lighten his cares* [**diluir**: to dilute].
[16]**un guardia de la porra**: *a traffic cop* [**porra**: club].
[17]**Hasta que . . . odio**: *Until the passage of time submerged hate into a gray monotony.*

vechando cualquier minucia reciente para reverdecer la acusación lejana y
dramática.

    Carranque se refugiaba en su puesto de la calle para huir del reducido
vacío familiar, hasta el que llegaban niños, inválidos y ancianas bonda-
5 dosas, todo un mundo necesitado de cuidados, que agradecía con una sonrisa sus atenciones y le impulsaba con ella a nuevos servicios.

    Don Jacinto construía y desechaba automáticamente soluciones. El
teléfono había adquirido en sus manos calidades del bastón de mando con
que los antiguos mariscales regían las batallas. Daba órdenes.
10   —No se suspende nada. No importa que se aplace hasta las diez y
media o las once. La gente lo aguanta todo. Lo que no se puede es su-
primirles la fiesta y destruir a su guardia. Carranque que esté bien presen-
table. Nada y nada. Mientras la prensa no sepa nada, no importa. Luego,
veremos. Sí, las instrucciones las mismas. Y que desfilen los niños del
15 Grupo Escolar. ¿Han llevado ya las flores? Carranque que no se mueva
hasta que yo hable con él. ¿Cómo qué . . . ?[18] ¿Quién es él para decir nada?

    Carranque había padecido como nunca en aquellos días. Desde que
se divulgó la concesión de la medalla y se dio la noticia del acto público, su
suegra se había superado en reticencias cada vez menos veladas:[19]
20   —Eso es lo que te dan a ti: una medalla. Pónla en el puchero a ver qué
caldo hace.[20] Más te valía un ascenso. Pero eso se queda para otros que
tienen más vista que tú.[21] Te morirás de hambre. Como tu mujer. Y no lo
digo por mí. A mí, una vieja, ya ¿qué me importa? Si te hubieran hecho
justicia a tiempo, otro gallo te cantara.[22] Y a la pobre Elisa que se sacrificó
25 por ti . . .
    La noche anterior le esperaba con una nueva retahila a punto. Ca-
rranque se sentó a la mesa y atacó en silencio la sopa. La vieja quedó
cortada apenas empezar:[23]
    —Voy a salir. Tengo servicio.
30   — ¿Esta noche?
    —Sí, le hago el favor a un compañero que tiene la mujer enferma.

---

[18]¿ **Cómo qué . . . ?** : *What's that . . . ?*
[19]**se había . . . veladas** : *had exceeded herself in (telling him) progressively less-veiled insin-
uations.*
[20]**Pónla . . . hace** : *Put it in the pot and see what kind of soup you get* (i.e., *see how much more
money it earns you*).
[21]**tienen más vista que tú** : *look out for themselves better than you do.*
[22]**Si te . . . cantara** : *If they had dealt justly with you, you'd be getting a different kind of reward*
[**gallo** : *rooster*].
[23]**quedó cortada apenas empezar** : *was interrupted when she had scarcely begun.*

Quien abandonó el diálogo dirigiéndose a su habitación fue la anciana, tirando a verdosa su térrea tez,[24] muda por la presión de tantas expresiones como le subían a la garganta.

Cuando regresó el yerno, había digerido el berrinche y le cerró el paso.[25] 5

Carranque, sentado en el banco de barrotillos de madera, contemplado con curiosidad por varios compañeros que pretendían aparentar indiferencia, volvía a vivir la escena, el estallido de injurias, malentendidos, suspicacias, acusaciones:

—... imbécil, hasta el último momento te toman el pelo![26] Traba- 10 jando toda la vida para que te den una medallita. A Elisa se la dieron ya las monjas en el colegio. Imbécil. Se preocupa por la mujer de los demás y dejó morir a la suya. Asesino. Hipócrita. El bueno que es capaz de asesinar a una mujer. Asesino.

Carranque sólo pretendió pasar. Empujó a la mujer y ésta, en vez de 15 retroceder, se tambaleó y cayó como si las piernas se le hubieran hecho repentinamente tan quebradizas como las de un pájaro.[27] De un golpe se convirtieron sus ropas en género de una calidad inferior[28] y sus carnes perdieron el menor signo de vitalidad. No sabía si dio con la cabeza[29] en las recargadas molduras del aparador. Lo que sí sabía que habían quedado 20 como cuajadas en el aire sus palabras:[30] "¡Asesino, que es capaz de asesinar a una mujer! ¡Asesino!"

La llevó a su cama. Tomó maquinalmente el casco y se ajustó el correaje. Se dirigió al cuartelillo para cumplir con el deber de comunicar a sus superiores que el guardia Carranque acababa de asesinar a su suegra. 25

Don Jacinto se había puesto ya la corbata. Entre toque y toque a su atuendo habían ido perfilando sus telefonazos el cuadro perfecto al que sólo faltaban ya las pinceladas finales:

—¡Que se ponga Carranque...! Oigame, para usted no ha ocurrido nada hasta ahora. Preséntese como tenía ordenado. Nada ha sucedido 30 que modifique su historial ni las circunstancias que han presidido el acuerdo.

---

[24]**tirando ... tez:** *her pasty complexion turning green.*
[25]**había digerido ... paso:** *she had digested her earlier rage, and cut off his path.*
[26]**te toman el pelo:** *they fool you.*
[27]**como si ... pájaro:** *as if her legs had suddenly become as fragile as a bird's.*
[28]**se convirtieron ... inferior:** *her clothes looked almost worthless.*
[29]**dio con la cabeza:** *hit her head against.*
[30]**habían quedado ... palabras:** *her words had remained in the air as if they were frozen there.*

Pero la voluntad férrea, el acento que siempre era obedecido, se estrellaba en la blanda resistencia del guardia:

—Soy un asesino. Perdóneme, pero no puedo recibir dignamente esa medalla.

5 Don Jacinto dio el toque final a su obra maestra. Gritó al teléfono como a un subordinado en posición incorrecta:

—¡Carranque! Le digo que está todo aclarado. No tiene por qué preocuparse. Preséntese. Usted no asesinó a su suegra. Acabo de hablar con el forense. La vieja murió de un ataque cardíaco.

10 Calló esperando. En su oreja sonó, débil, carraspeante, pero indomable, la voz del subordinado:

—¡Imposible, señor! ¡No tenía corazón!

CUESTIONARIO

1. ¿Por qué prefería la maquinilla eléctrica?
2. ¿En qué pensaba?
3. ¿Qué le interrumpió?
4. ¿Cuánto tiempo tenía aún?
5. ¿Qué había ocurrido diez minutos antes?
6. ¿Qué hacía el guardia Carranque?
7. ¿A dónde miraba y qué veía en realidad?
8. ¿A quién había ocurrido un accidente?
9. ¿Por qué funcionaba con más trabajo la maquinilla ahora?
10. ¿Qué órdenes dio por teléfono?
11. ¿Quién era Carranque?
12. ¿Qué opinión tenían todos de él?
13. ¿Cómo iban a premiarle?
14. ¿Con quién vivía Carranque?
15. ¿Qué opinión tenía su suegra de él?
16. ¿De qué le acusaba?
17. ¿Qué dijo de la medalla?
18. ¿Por qué se indignó la señora aquella cuando supo que su yerno tenía que sustituir a un compañero?

19. ¿Cómo ocurrió el accidente?

20. ¿Por qué no podía tratarse de un ataque cardíaco?

TEMAS

1. Háblenos de una máquina que le permite no pensar.
2. Describa un día en la vida de un guardia de la porra.
3. Relate un crimen que parece accidente.
4. Relate un accidente que parece un crimen.
5. Reconstruya Vd. toda la vida del guardia.
6. Es proverbial la interferencia y poco afecto de las suegras. ¿El autor las ataca o las defiende? ¿Cómo?

EJERCICIOS

I. Complete las frases siguientes con la palabra o palabras apropiadas.

1. Le gustaba afeitarse con la maquinilla _____.
2. Así no tenía que _____ en nada.
3. Le interrumpió el _____ del teléfono.
4. Carranque no quería que se _____ el acto.
5. Decía que no se merecía la _____.
6. Le iban a imponer la medalla porque era muy _____.
7. Pero a su _____ no le pareció bien.
8. Era una señora de muy mal _____.
9. Se lamentaba de que su hija se hubiera _____ con Carranque.
10. Según él su suegra no tenía _____.

II. Elija la expresión que completa las frases siguientes.

1. El teléfono (*sonó, avisó, molestó*) a Don Jacinto.
2. Tendrían que aplazar (*la boda, el jabón, el acto*).
3. Carranque era guardia de (*perros, suegras, tránsito*).
4. Vivía con su (*tía, madre, suegra*).

5. Aquel guardia era muy (*alto, legítimo, querido*) en la ciudad.

6. Su suegra, en cambio, lo llamaba (*guapo, asesino, feo*).

7. Aquella mujer se enfurecía por (*horas, medallas, nada*).

8. Debió darse un golpe en la (*silla, pared, cabeza*).

9. El forense dijo que era un ataque (*al riñón, al Jerez, al corazón*).

10. No podía ser cardíaco porque no tenía (*teléfono, corazón, hígado*).

III. *Basándose en el texto, complete las frases siguientes.*

      EJEMPLO: Construía y desechaba _____.

                  Construía y desechaba <u>soluciones</u>.

1. No tiene por qué _____.

2. No tenía puesta _____.

3. _____ faltar poco.

4. Ya no tenía _____.

5. Aquello provocó en _____.

IV. *Traduzca al español las frases siguientes, tomadas casi literalmente del texto.*

1. He wasn't concentrating on anything.

2. That caused the inconceivable accident.

3. It shouldn't be long now.

4. Nothing could be done.

5. Many articles appeared requesting it.

6. He planned and rejected many solutions.

7. Don't worry.

CUESTIONARIO GENERAL
SOBRE LA OBRA DE JORGE CAMPOS

1. ¿Qué elementos homogéneos hay en las narraciones de Jorge Campos?

2. ¿Hay diferencias notables entre el lenguaje de "Cobalto" y "La mula de Bonifacio"?

3. De las palabras *sorpresa, humor* y *descripción,* ¿cuál se aplica mejor a "No tenía corazón" y por qué razón?

4. ¿Desarrolla Jorge Campos la vida de alguno de sus personajes o solamente una situación temporal?

5. ¿Encuentra Vd. descripciones largas, ya sean de personas o paisajes en estas narraciones? ¿Por qué razón?

6. A juzgar por su continuidad, ¿ha escrito el autor cada uno de estos cuentos sin interrupción o en varias veces?

7. ¿Qué elementos encuentra Vd. en estas narraciones que se ajustan a la "cuentística" de su autor?

8. ¿Ha definido bien el autor su propia "cuentística"?

DANIEL SUEIRO

Daniel Sueiro nació en Galicia en 1931. Hizo estudios en La Coruña, de Derecho en Santiago de Compostela y Periodismo en Madrid. Se dedica profesionalmente al periodismo y a las letras, siendo colaborador en varios periódicos y revistas españoles.

En 1964 recibió el Premio Nacional de Literatura por sus cuentos "Los conspiradores".

De su pluma han salido no sólo artículos, dos novelas y cuentos, sino colaboración en guiones cinematográficos.

Actualmente trabaja en "El arte de matar", sobre las diversas formas de ejecución de la pena capital en el mundo.

MIS DIVAGACIONES
SOBRE EL CUENTO

Hay gente que distingue un relato de una narración, y sabe diferenciar la narración y el relato del simple cuento. Esto es admirable, pero no significa gran cosa a la hora de ponerse a escribir una de estas piezas literarias, ni tampoco a la de disponerse a leerla. Lo grave, por lo demás, no es que ignoremos cómo se llama exactamente lo que escribimos; lo grave es que en realidad no sabemos para qué escribimos aquí un cuento, un relato o una narración. Esto pasa en general entre nosotros con toda la narrativa, sea más comprimida o sea más extensa, puesto que por lo regular[1] contamos lo que casi no interesa a nadie y, por unos u otros motivos, hemos de callarnos lo que todo el mundo está deseando oir, y que, por lo demás, salta a la vista; pero es sin duda el relato breve, o lo que entendemos por tal, el género literario del que el público español se siente más desligado. ¿Por qué seguimos cultivándolo, entonces? ¿Por qué seguimos escribiendo cuentos? He aquí algo todavía más admirable, sobre todo si se tiene en cuenta que hoy son cada vez menos los literatos que escriben para la posteridad y más cada vez los escritores que trabajamos[2] para esclarecer un poco las cosas de nuestro tiempo.

Por lo que a mí respecta, como autor de cuentos, debo decir que escribo estos cuentos de vez en cuando para probarme a mí mismo que sigo siendo capaz de superar una de las pruebas más difíciles que se pueden proponer a un profesional de la literatura.

Para escribir una de estas narraciones, no creo que se necesite tener toda una larga y compleja historia que contar, pero tampoco

---

[1]**puesto que por lo regular:** *since generally.*
[2]**son cada ... trabajamos:** *there are fewer writers who write for posterity and more of us who work.*

me parece que sea suficiente disponer de una mera situación en la mente. Una gran acumulación de datos, de personajes, de paisajes y tiempos históricos distintos puede configurar una crónica magistral, una novela; y por el contrario, de la simple situación estática y desconectada de toda acción,[3] lo mejor que puede salir es una bella estampa o un alarde de descripción. En un caso, hay cosas que sobran; en el otro, cosas que faltan. Para escribir uno de estos cuentos, lo que yo creo que se necesita tener es un tema, o, si se quiere, una idea, pero sólo una. Por eso es difícil que un autor pueda escribir más allá de media docena de buenos cuentos en su vida, entre los cientos y cientos de cuentos que puede escribir. Un buen cuento que sea algo más que un ejercicio de pluma o una acumulación de hechos, puede escribirse en un día, en una mañana, pero sin duda ha debido de estar madurando durante semanas y aún meses. Dedicarse a escribir cuentos solo porque constituyen un género breve y expeditivo,[4] que se pueden liquidar en una sobremesa o en una noche, en cualquier rato libre, me parece una gran equivocación; los escritores que tienen otras muchas ocupaciones importantes y carecen de tiempo para la literatura, deben dedicar el que tengan a pergeñar largas novelas redactando un capítulo por día, nunca a escribir cuentos o relatos breves.

Un cuento es una prueba de fuerza; no digo que haya que estar en trance para escribirlo, pero sí hay que ponerse en tensión.

Una de las características personales más desfavorables para un buen narrador, a mi juicio, es que sea un buen conversador, un gran charlatán; y peor todavía si tiene gracia, ingenio o dramatismo hablando. Todo eso hay que tenerlo, sí, pero a la hora de escribir. Las ideas o los temas de los cuentos no nacen para andar comunicándolos[5] en las tertulias ni para soltarlos a las primeras de cambio;[6] no, los cuentos hay que escribirlos, y no solo eso: hay que escribirlos bien, y en eso está una de las peores dificultades de este oficio. Un mal tema para un relato puede ganar mucho si se cuenta bien en una conversación de amigos, entre copas y buena

---

[3]**la simple . . . acción:** *the simple, static situation, disconnected from all action.*
[4]**un género breve y expeditivo:** *a brief and quickly written literary form.*
[5]**no nacen . . . comunicándolos:** *are not born to be told.*
[6]**soltarlos . . . de cambio:** *to give them away carelessly.*

disposición,[7] una buena idea para un cuento se puede destrozar, por el contrario, mal contada en un momento de depresión por un tartamudo, que es lo que solemos ser los narradores. Estoy seguro de que se han dejado de crear muchos buenos relatos porque los temas o ideas en que iban a basarse fueron mal contados de viva voz delante de la barra de un bar por un escritor impaciente y débil a un interlocutor desinteresado y aburrido; como lo estoy asimismo de que se ha gastado demasiado papel[8] en intentar dar forma literaria a algo que no podía pasar de ser un chiste o un *sucedío*[9] para contar con gracia en una excursión.

Para mí, el cuento no es sólo eso que nos dicen que ocurre, que está ocurriendo, ha ocurrido o va a ocurrir; es el modo cómo ocurre, y aún más: el modo cómo nos dicen que ocurre. El cuento es una pequeña pieza literaria con principio y fin en sí mismo; en su corta extensión no cabe que despierte[10] nuestro interés por una gran serie de hechos que excederían su contextura; en su prieta densidad, tampoco puede interesarnos sólo por su forma expresiva. Ha de unir ambas dimensiones, los dos aspectos. Pero, ¿cómo? Cada cual tiene su toque personal, y en ese toque o falta de toque está el misterio y la razón de que haya tan pocos cuentos excelentes y tan pocos buenos cuentistas en medio de tantos y tantos vastos cultivadores del breve e insignificante género.

En el espacio y el tiempo de un cuento, con su tema o idea, con su pequeña anécdota, su breve argumento, sus fulgurantes personajes, sus hechos reales y también su belleza formal, debe tener cabida toda la filosofía de la vida y el concepto del mundo propios del autor. Así es que en los diez minutos que se tardan en leer las breves páginas de una de estas obras literarias, el autor debe haber comunicado a su lector su propio entusiasmo vital[11] o su depresiva angustia, debe haberle confirmado en su creencia en Dios o haberle despertado de pronto la más honda sospecha de que Dios no existe, debe haberle comunicado su misma desesperación por ese hombre

---

[7]**entre copas . . . disposición :** *between drinks and good fellowship (favorably inclined friends).*
[8]**se ha . . . papel :** *too much paper has been wasted* [**gastar** : to use].
[9]**sucedío :** an Andalusian expression meaning "something that happened".
[10]**no cabe que despierte :** *it is hard for it to arouse.*
[11]**su propio entusiasmo vital :** *his own enthusiasm for life.*

humillado o haberle despertado su solidaridad para la burla hacia ese otro hombre humillador. Y todo esto de una manera casi física, de forma que casi llegue a sentirse tanto dentro del corazón, apretado, como sobre la piel, estremecida, fría y sudorosa.

Todo lo cual resulta bastante difícil, y casi nunca se logra, ésa es la verdad.

Pero un lector de estas piezas literarias sabe tan bien como su autor que cuando un cuento es bueno, al pasar la última de sus páginas, se siente algo. No es interés por los hechos relatados, cariño o desprecio por los personajes, gusto por la forma en que están unidas las palabras, cosas que se pueden sentir después de leer una novela o un poema; no, es otra cosa. Se siente una emoción extraña, algo así como una especie de vértigo. Una sonrisa que asoma a los labios, o al revés: una intensa rabia, un desesperado rencor. Una suave humedad en los ojos, o bien la sequedad y la dureza más absoluta en ellos.

Después de leer un buen cuento no se puede leer otro por un momento, no se puede leer nada hasta que pase algo de tiempo. Hay que respirar hondo, cerrar el libro durante unos minutos, los ojos también, tal vez, y ponerse a pensar. Pensar profundamente hasta desentrañar el profundo sentido de las cinco, de las diez páginas compactas, enteras, completas, sin concesiones ni figuras, sin fugas ni engaños que acaban de leerse.

En eso se distingue un buen cuento, creo yo: y cuando un libro de cuentos se lee de un tirón, sin pararse a meditar siquiera sea un segundo al acabar de leer cada uno de ellos, malo.

MI ASIENTO EN EL TRANVIA

Los días son más largos, cerca ya el verano, y el viaje de vuelta lo hago aún con sol, sean las siete o las ocho de la tarde.

No hay cosa que me guste más en el mundo que estos viajes en el tranvía, con el sol. Hasta voy al trabajo con ganas, y me olvido del cansancio cuando vuelvo. Es lo que pasa, cuando hay un aliciente en la vida.

Sentado en tu asiento, sin hacer caso de nada, con la frente pegada al cristal y el sol que te calienta, así vas, mirando las casas y las aceras, los árboles, las glorietas, todo lo que pasa en la calle, las puertas de los bares, los coches, las disputas, la gente; todo eso moviéndose o quieto, todo al sol, mientras tú pasas de viaje y disfrutas tu buena horita de tranvía todos los días.

¡La de excursiones y viajes de placer, la de vueltas al mundo que yo he dado en el tranvía,[1] jó . . . !

Te haces a la idea y te parece que vas de jira,[2] en vacaciones, por sitios desconocidos y ciudades nuevas . . . Eso es lo que a mí me pasa, por lo menos; es que ya sé a dónde puedo llegar, yo no me engaño, estando como están las cosas.

No se puede tener prisa, tampoco, porque el tranvía tiene su recorrido fijo y su velocidad. Yendo en tranvía no vas a llegar a Pamplona; y si vas en un 14, tampoco esperes llegar al final del 61. Ir en tranvía no es como ir en avión, ni siquiera en coche, así que mucha calma. Yo disfruto plenamente en el tranvía, porque me abandono y no pienso en nada; sólo sé que aquello tiene unos raíles y un tiempo para llegar. No se le puede meter más prisa,[3] conque yo, aunque vea que se me hace tarde, no me impaciento y sigo tan tranquilo.

Ahora, a mí me gusta ir sentado.

---

[1] **La de excursiones . . . tranvía:** *The number of excursions and pleasure trips, the number of trips around the world that I've taken in streetcars.*

[2] **vas de jira:** *you go on a trip.*

[3] **No se . . . prisa:** *One can't hurry it up* [**meter:** to put in].

No creo que eso sea pedir gollerías.[4] Yo no me meto con nadie y espero, pero quiero ir sentado en un asiento, a ser posible al lado de las ventanillas.

Si a uno le van a quitar encima esta expansión . . .[5]

Mil veces me tengo levantado temprano[6] solo para coger un buen sitio en la cola y poder ir sentado, como lo digo, tomar el sol y mirar por los cristales. Es que estos viajes, si no los haces sentado, pierden mucho. No es lo mismo, vas incómodo y además te distraes de lo tuyo; el trayecto se te hace larguísimo, parece que no llegas nunca y te irritas. Sentado y sin hacer caso es otra cosa.

Me levanto muy temprano y espero en la parada que hay mismo delante de mi casa a que se meta toda la gente y dejo pasar todos los tranvías que van llenos.

Mi madre ya me lo dice, cuando me oye madrugar tanto.

—Pero, ¿por qué te levantas tan pronto, hijo?

Total,[7] ya estoy despabilado.

—¿A dónde vas a estas horas?

Y a dónde voy a ir, digo yo.

—¿No andarás en algún mal paso, hijo?[8]

—No, madre —le digo—; me voy al trabajo. ¿A dónde quiere que vaya?

—¿Al trabajo tan pronto?

Y ya me solivianta.

—Mire, madre —le digo, por el pasillo casi a oscuras—, yo aspiro a una cosa en la vida: a ir sentado en el tranvía. Eso que no me lo quiten. No me parece mucho, ¿no?

—¡Qué juventud ésta . . . ! —oigo murmurar a mi pobre madre—. Tu padre iba al trabajo andando . . .

Vuelve a preguntarme luego:

—Y para ir sentado en el tranvía, ¿has de levantarte tan temprano?

—Sí —le grito—. Hay mucha gente que quiere ir sentada . . . Yo no me peleo con ellos y los dejo pasar. Solo me siento cuando quedamos pocos y hay asientos bastantes.

Y añado al cabo de un rato, riendo y con la boca llena:

—Aún así llego tarde al trabajo, a veces . . .

---

[4]**No creo . . . gollerías**: *I don't think this is asking too much* [**gollerías**: excess].
[5]**Si a uno . . . expansión**: *If they're going to deny one this comfort on top of everything else.*
[6]**Mil veces . . . temprano**: *I've gotten up early a thousand times.*
[7]**Total**: *In a word.*
[8]**¿No andarás . . . hijo?**: *Are you sure you're not mixed up in something, son?*

Y ella no sé si se echa a llorar, porque estas cosas parece que no las entiende.

Pero, claro, el tranvía que pasa casi vacío cuando yo lo cojo (después de dejar pasar media docena de ellos), también acaba por llenarse, muchas veces un par de paradas más allá, con toda la gente que espera.

Yo tomo el sol y contemplo la calle, mientras viajo, sentado en mi asiento, procurando no mirar a la gente que va dentro del tranvía ni hacer caso de ella. Cada uno de estos que van a mi lado, si pudieran, me quitarían mi asiento para sentarse ellos; me echarían de él a la fuerza, me arrojarían incluso del tranvía en marcha con tal de dejarles libre mi asiento.

A ninguno le he pedido nada, ni he pensado aún en quitarles nada de lo que ellos tienen, pero desde luego mi asiento en el tranvía no se lo dejo.

No los miro, pero sé que me rodean amenazantes y cada vez más irritados. Algunos adoptan actitudes lastimeras,[9] ponen cara de cansancio, de dolor, de desmayo; suspiran, se quejan, se remueven incómodos y abatidos, como si fueran a caerse al suelo y morirse si yo no les dejo mi asiento. Otros evidencian claramente su despecho y su rabia al dejarse caer sobre mí en las vueltas que da el tranvía al pisarme, al meterme los codos. Hombres y mujeres me vigilan y me acosan como si yo fuera un delincuente o estuviera usando algo que no me pertenece, que les he arrebatado. ¡Ja, ja, me da la risa!

Además, ellos pensarán:

—Habráse visto, qué atrevimiento . . .[10]

—Ya no hay respeto ni educación.[11]

—Este desastrado, sentado en un asiento.

—De buena gana lo levantaba y le sacudía.

—No, si las personas decentes ya no . . .[12]

—¡A dónde vamos a parar . . . !

Todos a mi alrededor, todos a la caza de mi asiento, mientras a los demás que van sentados nadie parece molestarles, y entonces yo debo pensar que soy el más indigno de los hombres, sea por mi edad o por mis pobres ropas, puesto que no merezco ir a mi trabajo sentado en el tranvía.

Aún así,[13] no me levanto ni me levantaré nunca. Nunca.

Soy muy joven y aún no estoy cansado de nada. Trabajo sin en-

[9]**Algunos adoptan actitudes lastimeras :** *Some try to evoke my pity.*
[10]**Habráse visto, qué atrevimiento :** *Did you ever see such nerve!*
[11]**Ya no . . . educación :** *There's no respect (for others) or manners anymore.*
[12]**No, si . . . ya no :** *Well! it's getting so that decent people can no longer. . .*
[13]**Aún así :** *Even so.*

tusiasmo, pero trabajo. Gano lo menos que se puede ganar, lo que me pagan. Pero mi asiento en el tranvía nadie me lo quitará.

A la vuelta, cuando cae la tarde, el viaje es más plácido, aunque yo vengo rendido. El sol no aviva y calienta las calles ni a la gente, como en el viaje de la mañana, sino que las va enfriando y matando lentamente con sus destellos escarlata.[14]

He dejado pasar todos los tranvías que van llenos, he dejado pasar a toda la gente de la cola, y por fin me he subido a un tranvía que lleva mi asiento. Nadie se da cuenta, pero yo espero, subo, me siento y luego viajo a gusto.

Y sin embargo, también este tranvía acaba por llenarse.

Así que sube la señora que viene a por mí en cuanto me ve sentado.[15]

Es una de esas señoras que están seguras de que todas las cosas de este mundo y todos los asientos de los tranvías han sido hechos para ellas.

Viene arrastrando al niño, pero en cuanto está a mi lado lo coge y se lo echa a los brazos. Es un niño de cuatro, de cinco añazos, por lo menos.

Vuelvo a apoyar la frente en el cristal, miro a la calle. ¡Qué bonito, qué bonito . . . !

La señora sostiene al niñazo en sus brazos. La madre con el hijo, la mujer con la criatura, de pie en el tranvía justo al lado de un chalado que parece que no se entera y que no se levanta ni pa Dios.[16] Ya, ya me sé ese cuento.

Conque no me muevo y a seguir disfrutando.

Y noto lo de siempre, que todos me miran y me vigilan, me maldicen, todos en torno a mí, encima de mí. Y yo aguanto. Como si todos tuvieran derecho a mi asiento, como si los asientos de los demás fueran sagrados.

Nadie habla, todo el mundo pendiente de mi asiento, si me levanto o me quedo sentado, mientras la madre sigue acusándome con la preciada carga encima.

Me pongo colorado, seguramente, porque soy joven y tengo la cara llena de granos, pero esto no tiene nada que ver, aunque a mí en el fondo me moleste y me avergüence un poco.

Sí que me fastidia,[17] porque además resulta que siempre me ruborizo y se me notan más los granos por culpa de las mujeres, sobre todo cuando las miro y ellas me miran, o en casos como éste, en que al fin y al cabo lo que pasa es que hay un asunto entre una señora y yo.

---

[14]**las va . . . escarlata**: *is chilling and killing them slowly with its scarlet rays.*
[15]**viene a . . . sentado**: *comes straight at me as soon as she sees that I'm seated.*
[16]**no se . . . pa Dios**: *he won't get up for anybody* [**pa**: **para**].
[17]**Sí que me fastidia**: *Yes, it does bother me.*

Y voy pensando acerca de las mujeres, mientras sigue el viaje del tranvía, sentadito y al sol: ellas nos disputan los puestos de trabajo, ¿o no?; ganan carreras y a veces nos cohiben, nos avergüenzan, nos hacen sentirnos insignificantes y salvajes; ellas nos gritan, discuten con nosotros, consiguen de los jefes cosas que nosotros no podemos conseguir. 5

Pero el niño, desde arriba, me está pegando patadas en la cabeza, no sé si por orden de su mamá, y me tengo que retirar un poco y aplastar aún más la cara contra el soleado cristal.

Cada vez hay más gente en el tranvía y más apreturas encima de mí.

Y una especie de hombre decente es el que empieza, como otras veces. 10

—Un poco de respeto, hombre —todavía con cierta prudencia, aguantándose las ganas que tiene de reprenderme de otro modo—. ¿No ves aquí, a la señora?

Me concentro en el cristal, con el ceño fruncido, y no hago caso.

—Una señora de pie, con un niño en brazos, y él sentado —oigo a otra 15 voz, que será la de ella, supongo.

Y nada, todo el mundo a mirarme hostilmente, unos por encima de los hombros de los otros, poniéndose de puntillas y estirando el cuello.

—Vaya educación la de ahora[18] —empiezan.

—Ya no es educación, se trata de sentimientos.[19] 20

—Un poco de entrañas,[20] debían tener por lo menos.

—Estos cuadros no se veían antes.

—Caballeros, que aún quedaban . . .

—Las nuevas generaciones . . . , ¡míralas . . . !

Etc., etc. 25

Con lo que ya empezaban a fastidiarme el placer del viaje y la contemplación del paisaje, porque estas cosas siempre afectan, aunque no quieras.

El hombre decente me dio unos golpes en el hombro, con la mano, y tuve que volverme.

—Que aquí la señora sigue de pie . . . —bajó la cabeza para hablarme, 30 y al mismo tiempo miraba a los otros, que asentían.

Estaba más bajo que todos ellos, precisamente por ir sentado, y parecía que iban a comerme.

—Bueno —le dije, y lo primero que se me ocurrió, lo más fácil—, pero aquí la señora vendrá de ver escaparates toda la tarde, y un servidor 35 viene de dar el callo.[21]

---

[18]**Vaya educación la de ahora**: *The kind of manners people display these days.*
[19]**Ya no . . . sentimientos**: *It isn't a question of manners, but of feelings.*
[20]**Un poco de entrañas**: *A little bit of heart* [**entrañas**: entrails].
[21]**un servidor . . . callo**: *yours truly has been working all day* [**callo**: callus].

Se impacientó e hizo ademán de contener su santa indignación.

—Lo que hay que aguantar . . . , lo que hay que aguantar . . . —y a mí lo que me pareció era que quería sentarse él.

Luego vino lo del teniente,[22] que me dijo:

5 —A tí te querré ver yo en el cuartel, macho . . . Allí ya verás . . .

—A lo mejor[23] no voy —le dije, como es la verdad, por lo de mi madre.

— ¿No te gusta? —se inclinó hacia mí con una sonrisa helada.

—No sé si me gustará; pero, desde luego, como pueda, no voy.

—Como yo te coja por mi cuenta, te voy a enseñar a sentarte y a 10 levantarte cuando se te ordene.

El tranvía seguía su camino, parando en las paradas, y la gente se arremolinaba cada vez más a mi alrededor, mientras cruzaba calles y barrios.

—Te salva que yo aquí no tengo autoridad . . . —decía el teniente, y 15 también los demás hacían comentarios, condoliéndose de la señora que aún iba de pie y con el niño en brazos.

Yo estaba casi llegando a mi parada, pero aún entonces salió otro que me quiso avasallar.

—No te pongas chulo,[24] encima —me dijo—, que te hago levantar en 20 seguida.

Tenía un bastón en la mano y parecía apoyarse en él por ese lado del cuerpo, mientras el otro lado lo colgaba del brazo que llevaba asido a una de esas correas de cuero.

Lo miraban todos, como yo.

25 —Te puedo obligar a levantarte —insistió—, ¿o es que no lo sabes?

Eché un rápido vistazo a ver si era mi asiento el que tenía la plaquita metálica[25] y me quedé tranquilo, sin pensar en moverme.

—Su asiento no es éste —le dije, con toda seguridad—; lo que pasa es que su asiento lo debe estar ocupando otro por ahí.

30 —¡Yo me puedo sentar en donde quiera! —gritó.

Los demás así debían creerlo, porque asentían encantados, al ver cómo se me iban poniendo las cosas.

El solo podía obligar a levantarse a uno que ocupara el asiento que dice "reservado para caballeros mutilados", y no me parece mal, pero el mío no 35 era ése. De todos modos me callé y volvía a contemplar la calle, porque sé

---

[22]**Luego . . . teniente:** *Then the bit with the lieutenant took place.*

[23]**A lo mejor:** *Perhaps.*

[24]**No te pongas chulo:** *Don't get smart (with me)* [**chulo:** *bully*].

[25]**el que . . . metálica:** *the one that had the metal sign (that said that this seat was reserved for cripples and amputees).*

que esta gente en realidad puede hacer lo que le dé la gana, después de haber hecho lo que hicieron.

—Hágalo levantar —le animaban por allí al señor del bastón.

—Y tápele la boca,[26] hombre, que ya está bien.

—Lo que hay que oír a esta gente ... ¡Mocosos! 5

—Esto ya es demasiado.

—Que se levante, ya está bien.

—Es lo último:[27] un mutilado y una señora con un niño de pie, y el señorito sigue sentado ...

Y yo es lo que pienso,[28] mientras atravieso la ciudad: cojo el tranvía 10
porque sé que tengo en él un asiento para mí, porque todavía quedan algunos asientos sin las plaquitas de propiedad para unos o para otros, porque me da igual lo que digan o piensen ... ; si no fuera así, o si llegara el momento en que así no fuera, lo que yo haría sería quedarme a morir en casa o tal vez, lo más seguro, montarme en el primer vehículo que me en- 15
contrara al paso sin esperar más colas ni preguntar nada a nadie. Esto es lo que voy pensando, cerca ya de mi parada, así como otras muchas cosas, dedicadas especialmente a toda esta gente que me quiere quitar mi asiento; cosas bastante sabrosas que algún día contaré, lo más seguro.

Están todos aún indignados y me miran con verdadero rencor, con 20
desprecio, porque he hecho todo el viaje sentado, sin hacer caso de nadie ni dejarme amedrentar, y cuando el tranvía se detiene, lo que hago es ende- rezarme de mi asiento y pedirles permiso para salir. Así que me levanto y voy hacia la puerta, encorvado y cojeando, con la boca entreabierta y los ojos extraviados, que les van recorriendo de arriba abajo mientras paso por 25
entre ellos, y ese temblor de los brazos y las manos, débil como parezco y mal vestido, desgraciado de mí.

Entonces disfruto porque veo como sufren todos ellos, cuánto les hago sufrir y maldecirse, porque han venido acosándome durante todo el viaje e intentando obligarme a que me levantara de mi asiento, hacerle eso 30
a uno como yo ... Escucho su repentino silencio, oigo los golpes de la sangre en sus corazones, que les hacen sentirse despreciables y malvados, tal como me he propuesto. Los veo mientras paso retorciéndome entre ellos y veo como empalidecen y les remuerde la conciencia, como se arrepienten, se duelen, se torturan, enmudecen y quedan inmóviles. 35

Salgo del tranvía, bajo torpemente, lastimosamente los dos o tres esca-

---

[26]**tápele la boca**: *make him shut up.*

[27]**Es lo último**: *That's the last straw.*

[28]**Y yo ... pienso**: *What I am thinking.*

lones y me arrastro casi hasta la acera. Allí me vuelvo y los miro de nuevo,
los contemplo con detenimiento, esos rostros y esos ojos atormentados y
culpables que me imploran, mudos, un perdón que no merecen ni pueden
alcanzar.

5   Nos miramos fijamente y yo los acuso desde la acera, inmóvil y en
silencio, hasta que las puertas se cierran de nuevo y el tranvía se pone otra
vez en marcha.

Y ahora es cuando me echo a reir como un loco, estiro completamente
los brazos por encima de mi cabeza, enderezo todo el cuerpo y empiezo a
10   dar saltos de alegría y a pegar patadas al aire,[29] para que todos ellos me
vean como soy, joven y sano, ágil y lleno de vida, libre y vengativo. Voy
corriendo durante un rato al lado del tranvía riendo y gritando, dando
saltos de uno y dos metros de altura, burlándome de ellos, humillándolos y
enfureciéndolos cada vez más.

15   Todo esto es difícil que lo soporten sin odiarme ahora mucho más que
cuando yo iba sentado en mi asiento del tranvía sin levantarme para dejarles mi sitio ni hacerles ningún caso.

CUESTIONARIO

1. ¿Cómo va el protagonista a su trabajo?
2. ¿Qué aliciente tiene en esta vida?
3. ¿Como es de largo el viaje?
4. ¿Dónde se sienta en el tranvía?
5. ¿Para qué se levanta temprano?
6. ¿Por qué deja pasar los tranvías que vienen llenos?
7. ¿A qué aspira, según le dice a su madre?
8. ¿Cómo consigue ir sentado?
9. ¿Por qué no se levanta de su asiento?
10. ¿Qué le parece que hacen los viajeros que van de pie?
11. ¿Por qué se figura que los demás creen que él debe levantarse?
12. ¿Qué ocurre al tranvía aunque vaya medio vacío durante algún tiempo?
13. ¿Qué dice de la señora que sube con su niño de cuatro o cinco años?
14. ¿Qué queja tiene de las mujeres?

---

[29]**pegar patadas al aire**: *to kick into the air.*

15. ¿Qué ocurre con el militar?
16. ¿Y con el caballero mutilado?
17. ¿Por qué insisten en que debe levantarse?
18. ¿Qué hace cuando llega a su parada?
19. ¿Cómo baja del tranvía?
20. ¿Qué hace al reanudar éste su marcha?

TEMAS

1. Díganos en qué trabaja el protagonista.
2. Describa el trayecto del tranvía.
3. Cuéntenos de dónde venía la señora del tranvía.
4. A ver cómo reaccionaría Vd. si fuera en el tranvía cuando ocurrió este episodio.
5. ¿Tiene Vd. alguna aspiración parecida a la del protagonista de este cuento?
6. ¿Cómo ha conseguido el autor provocar en Vd. ciertos sentimientos?

EJERCICIOS

I. Complete las frases siguientes con la palabra o palabras apropiadas.

1. Se acerca el _____ y hace sol hasta tarde.
2. En el tranvía se hacen _____ imaginarios.
3. Como tiene recorrido fijo no se puede tener _____.
4. Si se va en una _____ no se puede ir en otra.
5. Para gozar del viaje se tiene que ir _____ junto a la ventanilla.
6. El protagonista se _____ temprano a fin de ir sentado.
7. A él le _____ que todos quieren su asiento.
8. Creen que es demasiado _____ para ir sentado.
9. Le digan lo que le digan él no se _____.
10. Al llegar a su parada finge estar _____.

II. Elija la expresión que completa las frases siguientes.

1. Se va muy bien gozando del (*cristal, sol, viaje*).
2. Con tal de ir (*de pie, cómodo, sentado*) no le importa esperar.

3. A su madre le (*gusta, extraña, pisa*) que se levante a esas horas.

4. Aunque va vacío acaba por (*perderse, llenarse, mover*).

5. Si los demás hubieran (*salido, hecho, hablado*) como él, también irían sentados.

6. La señora no vendrá de (*coser, trabajar, volar*) como él.

7. No hace caso del teniente, ni de (*nadie, el sol, el niño*).

8. Le gusta ver cómo (*sufren, callan, velan*) al verle levantarse.

9. Atraviesa por entre la gente como si estuviera (*tonto, listo, enfermo*).

10. Luego estira los brazos, salta y corre (*mirando, vengando, burlándose*) de ellos.

III. *Basándose en el texto, complete las frases siguientes.*

    EJEMPLO: ¡Como yo te coja _____ !
                  ¡Come yo te coja por mi cuenta!

1. Todo el mundo _____ .

2. Yo no me meto con nadie _____ .

3. De todos modos _____ .

4. ¿No merezco ir _____ ?

5. Me da igual _____ .

IV. *Traduzca al español las frases siguientes, tomadas casi literalmente del texto.*

1. I make the trip home while it's still daylight.

2. I don't bother anybody, and wait.

3. Don't I deserve a seat on the streetcar on the way to work?

4. Everyone looks at me hatefully.

5. If I ever catch you!

6. Anyway, I kept quiet.

7. I don't care what they think or say.

EL POZO

Fuimos en ascensor en compañía del famoso Víctor Robles (habíamos cerrado las puertas y yo tenía la mano cerca del botón cuando ví al elegante caballero, a contraluz, puesto que él venía de la calle y nosotros estábamos ya en la oscuridad, y lo reconocí, por la forma de andar y por la espalda cargada y vencida; de manera que abrí las puertas de nuevo para que pasara 5 y él entró sin mirarme y ni siquiera me dio las gracias; lo tenía bien merecido, por querer cumplir hasta aquel extremo[1] con el famoso Víctor, que dice que escribe tan bien y está tan lleno de vicios y de deudas y de secretos rencores), como señores,[2] sin prisas, un poco antes de las once de la mañana. Subimos hasta el último piso en silencio y el gran escritor deca- 10 dente y frívolo se entretuvo en examinar detenidamente las piernas de la chica, de arriba abajo, con todo descaro,[3] y los pechos, mientras ella se entretenía mirando los cristales y el espejo del ascensor y leyendo la plaquita metálica que han colocado encima de la puerta, por dentro (y que dice: 15

PROHIBIDO EL DESCENSO
Excepto a
DIGNIDADES ECLESIASTICAS
DIRECTORES GENERALES
y mayores de 60 años) 20

y yo procuraba mirar a donde ella miraba, para no cruzar la vista con la del maestro.[4]

El ascensor se detuvo al fin, en lo más alto, y Víctor (es de la época galante[5] y podría parecer mi abuelo o mi padre, digo por la edad) se hizo a un lado con discreción para dejar salir a Milú, sin apartar los ojos de sus 25 muslos, cuando la tiene de frente, de las pantorrillas[6] cuando la ve de espaldas; a mí no me hizo caso y cuando ya iba a seguirla, o al menos a

---

[1]**cumplir hasta aquel extremo**: *to be nice to such an extent.*
[2]**como señores**: *like gentlemen.*
[3]**con todo descaro**: *shamelessly.*
[4]**para ... del maestro**: *so that my gaze and that of the master would not meet.*
[5]**es de la época galante**: *he's a gentleman of the old school.*
[6]**de las pantorrillas**: *from her calves.*

regatearle el paso al caballero[7] o incluso a cedérselo, al fin, en consideración a su edad y a su fama, pero sobre todo a su edad, el tipo me dio la espalda y ocupó la puerta, saliendo casi pegado a la chica, rozándola.

Luego le dije a Milú, cuando entramos, tras él, en voz baja y seña-
5 lándolo con un movimiento de la cabeza:

—Es Víctor Robles.

—¿Quién? —con esa encantadora ignorancia, esa enorme estupidez que solo algunas chicas de buenas familias son capaces de mantener en todo lo referente a ilustres escritores e intelectuales famosos.

10 — ¿Nunca has oído hablar de él? —sonreía muy divertida, con los grandes ojos abiertos, para asombrarse, pero no se asombraba, y negaba con la cabeza. Le dije: "Escribe en tal periódico y ha publicado estos y estos libros."

—No, no me suena.[8] Pero me miraba de una manera . . . , ¿no te has
15 fijado?

—Es un viejo degenerado —concluí—, no sé qué se habrá creído . . . ¡Menudo imbécil![9]

Ya desde la entrada vimos que aquello estaba lleno de gente, y esto resultaba tranquilizador y hermoso, pues significaba que la noticia era
20 cierta y no había lugar a dudas.

Había ocurrido en más de una ocasión que nos avisaban (uno que se lo dice a otro, y éste que coge la agenda[10] y se lía a llamar por teléfono a los amigos, estableciéndose así la cadena), a lo mejor el mismo día, una hora antes, y nos habíamos ido corriendo, en taxi sin tener con qué pagarlo (yo
25 casi siempre con una muchacha distinta, siempre de la mejor calidad y pro-curando encontrarlas viciosas, para hacérselas ver a los escritores zurcidos y serviles y a los poetas incontaminados,[11] que muchas veces no se atrevían ni a mirarlas), y allí nos encontrábamos todos desorientados y violentos, llenos de indignación cuando el cajero decía desde detrás de su ventanilla
30 que no, que él no sabía nada, que ignoraba incluso cuándo iba a ser, si sería antes de fin de mes o pasado el verano, etc., dándose el caso de que nos debían el trabajo de muchas semanas y meses anteriores; con el taxi parado abajo, esperando, sin una perra en el bolsillo ni un puñetero duro en casa,[12] que casi era peor, y entonces algunos se irritaban de verdad (se irritan

---

[7]**regatearle . . . caballero**: *to haggle with the gentleman over the right of way.*
[8]**no me suena**: *it doesn't ring a bell.*
[9]**¡Menudo imbécil!**: *Some jerk!*
[10]**éste que coge la agenda**: *the latter, who gets the information.*
[11]**hacérselas . . . incontaminados**: *to make the shabby, servile writers and the uncontaminated poets see them (the girls).*
[12]**sin una perra . . . en casa**: *without a coin in our pockets nor one damned duro at home* [**duro**: *a coin worth five pesetas*].

cuando no les pagan, no cuando les obligan a escribir mentiras) y vomitaban allí sordamente todos sus rencores y su odio,[13] aunque no les oía
nadie que pudiera apreciarlo; cosa muy distinta a cuando el aviso es au-
téntico y llegas allí y te pagan, que entonces todo el mundo está contento,
y, además, conforme, y aún los hay que se sienten orgullosos de sí mismos 5
y de aquello: sonríen, se muestran joviales, saludan, halagan, se dan
mutuas palmadas en los hombros, emiten grititos de felicidad saltando de
un lado a otro en las colas, al ver a los primeros tomar su dinerito...
Todo esto sin darse cuenta de que, paguen un día u otro, paguen mucho o
poco, paguen o no paguen, al fin y al cabo no hay grandes diferencias ni 10
mayor razón para enojarse en un caso y felicitarse en otro, habiendo llegado
al estado en que nos encontramos.[14]

Pero yo aparecí con Milú y me dí cuenta de que el aviso de aquel día
era muy fundado y muy cierto, viendo la aglomeración de gente y el
bullicio, el mismo aspecto especial de los semblantes y el tono general de 15
alegría mal contenida o disimulada.

De los dos conserjes que ocupan la mesa que hay detrás de la puerta
de entrada, el mutilado comía,[15] como todas las veces que lo he visto, su
bocadillo de sardinas en aceite (seguramente habría levantado la tapa
superior del pan, antes de decidirse a morderlo por primera vez, para ver 20
qué tal se lo habían puesto de pringue por dentro,[16] si le habían echado
bastante, tal como le tenía dicho al botones que bajaba a comprarlo todas
las mañanas al bar, o si le habían echado poco), con el garfio atenazado
sobre el envoltorio grasiento de papel de periódico[17] y el enorme ojo de
cristal abierto de súbito de cara a los recién llegados, un poco más cerrado 25
el otro, para ver algo, y el globo de pan inflado en la mejilla[18] y en la boca
que no deja de masticar. El otro conserje, sentado a su lado, dormitaba
con las manos y los brazos escurridos por entre las piernas, la cabeza caída
sobre el pecho, a pesar de las voces y el ruido.

La primera cola estaba formada delante de la primera ventanilla, a la 30
derecha de la mesa de los conserjes, y en ella había unas treinta o cuarenta
personas. De momento no me fijé demasiado en los rostros (alguno de los
cuales se volvía ya hacia la atracción que llevaba conmigo),[19] para echarle
un vistazo total al panorama.

---

[13]**vomitaban ... odio:** *noiselessly spewed forth right there all their animosities and hatred.*
[14]**habiendo llegado ... encontramos:** *having arrived at our present state.*
[15]**el mutilado comía:** *the crippled caretaker was eating.*
[16]**qué tal ... por dentro:** *how much grease they had put inside.*
[17]**con el ... periódico:** *with his pincerlike hook on the greasy newspaper wrapping.*
[18]**el globo ... mejilla:** *the ball of bread puffed out in his cheek.*
[19]**alguno ... conmigo:** *some of which (the faces) turned now toward the attraction (the girl)
       I had with me.*

Más allá de la primera ventanilla, de frente, a lo largo del pasillo, se abre la segunda, y en ella nacía la segunda cola. Se suceden así las ventanillas y las hileras de personas hasta el fondo, en que el pasillo tuerce a la izquierda y allí (aunque yo no pudiera verlas desde la puerta) seguían las colas y las ventanillas, cada una con un número y un letrero, para cometidos distintos y enlazados;[20] da otra vuelta el pasillo, en ángulo recto, con más ventanillas y más colas formadas delante de ellas, y vuelve por nuestra izquierda (la izquierda de la puerta de entrada y la de la mesa de los conserjes) a las últimas ventanillas, en las que la gente que había hecho todo el circuito acababa por cobrar y se marchaba. El recorrido del pasillo forma un cuadrado casi perfecto; por su parte interior encierra el hueco profundo de un patio, al que dan diversas ventanas, dos por cada uno de los lados del cuadrado; por la otra parte se alzan las paredes de las oficinas de la Administración, llenas de ventanillas y con alguna puerta, que constituyen un cuadrado mayor. Las colas formadas delante de las ventanillas aparecían bastante ordenadas y distintas en las cercanías de las paredes del cuadrado mayor, pero como el pasillo es estrecho, al llegar a las cuatro paredes del cuadrado pequeño, las que dan al patio, todas se mezclaban y confundían y la gente se amontonaba.

Nos acercamos a los que estaban arrimados a la pared, apoyados de espaldas en ella (y manchándola o rayándola con la suela del zapato que se usa para apoyarse, o con el otro pie al cambiar de postura), o de frente en los huecos de las ventanas, asomados al patio, charlando y fumando, todo esto en la primera cola. El famoso Víctor se había apresurado para coger un puesto delante de nosotros y preguntaba a uno de aquellos: "¿Quién es el último?", con su voz lenta y estudiada, lo cual resultaba bastante ridículo para una celebridad semejante.

—¿Toda esta gente viene...? —me preguntó Milú, que parecía tan divertida como cuando llegamos junto a los monos,[21] en el zoo.

—Sí, va a haber para rato.

—Claro que siendo para lo que es... —intervino uno de los del grupo, al que tan solo conozco de vista, y sonrió con picardía y con gozo, como para hacernos disfrutar a todos de su deleitoso secreto.

—En eso llevas razón,[22] ya ves —oí la voz de Manuel Vivebien, al responderle—. A veces tienes aciertos.

El joven gozoso recién venido se sonrojó y yo saludé a Manuel, que

---

[20]**para cometidos... enlazados**: *for different and related commissions.*
[21]**llegamos... monos**: *when we drew near the monkeys.*
[22]**llevas razón**: *you are right.*

estaba un poco más allá, con un movimiento paciente de cabeza y una sonrisa. Nos acodamos junto a una de las ventanas del patio y nos pusimos a fumar ambos. Tiré la cerilla encendida por el hueco, pero se apagó mucho antes de llegar abajo, donde se amontonaba la porquería húmeda y los residuos, colillas y papeles rotos, cosas viscosas[23] que hacían subir un olor podrido y dulzón al que todos nos acostumbrábamos en seguida. Por las ventanas de enfrente y de los lados se asomaban también al interior del patio los rostros, hombros y manos de algunos otros que esperaban en los montones de las demás colas. Cada uno miraba hacia los monos o pájaros de las otras jaulas,[24] para saludar o incluso mantener una conversación de ventana a ventana; se miraba también al aire libre y al cielo, puesto que estábamos en el último piso del edificio,[25] pero, sobre todo, se miraba mucho al fondo del pozo, a donde se escupía y se tiraba todo lo que no hacía falta, la ceniza, las cerillas usadas, las colillas, etc., contemplando en silencio como cada una de estas cosas caía lentamente y se hundía al fin en la oscuridad fangosa y maloliente,[26] después de pasar ante las ventanas, cerradas o abiertas, pero todas sucias, de los diversos pisos.

Dentro, en el pasillo cuadrangular, las piñas o grupos de gente se confundían y las hileras formadas ante los funcionarios de las ventanillas parecían no moverse, pero en realidad se iba avanzando, y los que estaban a la cabeza de una cola se ponían poco después al final de la siguiente, cada vez con un nuevo papel en la mano o una nueva firma en el papel, perfectamente amaestrados,[27] hasta cubrir todas las etapas y llegar al final con las cosas bien arregladas para coger el dinero.

El ascensor iba dejando en el piso alto nuevas remesas de personas, que se ponían detrás de nosotros (éramos los últimos), y en poco tiempo se formó un verdadero nudo en la puerta de entrada, porque aquello es muy pequeño, seguía llegando gente y no se cabía. Pero nosotros ya estábamos allí, en nuestro puesto —hice este comentario con Milú—, y malo sería que cerraran las ventanillas antes de llegar a cobrar, o que se acabara el dinero (que todo podía ocurrir, pues ya ha ocurrido, como bien se sabe).

Entre los últimos ví a Ernesto Carajo, que me había dado el soplo[28] en aquella ocasión (yo no suelo llamar a nadie, cada cual que se entere como

---

[23]**la porquería . . . viscosas** : *the damp rubbish and the residue, cigarette butts and torn paper, sticky things.*
[24]**hacia . . . otras jaulas** : *at the monkeys or birds in the other cages.*
[25]**el último piso del edificio** : *the top floor of the building.*
[26]**la oscuridad . . . maloliente** : *the murky and foul-smelling darkness.*
[27]**perfectamente amaestrados** : *perfectly trained.*
[28]**que me . . . soplo** : *who had tipped me off* [**soplo** : blow; gust of wind].

pueda, todo el mundo acaba por enterarse y como consecuencia vienen las aglomeraciones; pero de todos modos la noche anterior había cogido el teléfono y llamado a un par de ellos, al loco de Borrelio y Paco González, que es seguramente el que anda peor de todos nosotros, por lo que sea),[29]
5   y lo llamé a voces, para que viniera junto a nosotros. Se abrió paso y se acercó y le presenté a mi chica, y él se quedó con la boca abierta y dijo algo así como "Para un día de cobro también yo me la agenciaría,[30] y para lo que viniera luego", pero los de atrás empezaron a darle voces y a insultarle, y a mí también, al ver que estábamos procurando hacerle un sitio, en un puesto
10   tan avanzado, y acabó por irse al final de la cola, riendo (uno de la radio[31] lo cogió por la hombrera y él lo empujó y lo tiró; Ernesto Carajo es un chulo de los que caen bien,[32] mal escritor por ser tan vago y saber tan poco, pero al que hay que arrimarse un día de cobro si se quiere pasar bien).

El me había llamado a mí y yo llamé a otros dos, para avisar que paga-
15   ban al día siguiente, y supongo que cada uno de estos llamaría a otros tres o cuatro, y el que se lo dijo al primero también se lo dijo a otros seis, los cuales a su vez corrieron a avisar a sus amigos particulares, y así se formó la cadena interminable en unas pocas horas, la red sobre toda la ciudad, sonando los teléfonos o los timbres de las puertas en las casas para dar la
20   noticia: "Mañana se cobra", unos a otros nerviosamente o con falso aplomo: "¡Que mañana pagan!", la voz del precio estipulado, del bajo, bajísimo precio de la venta corriendo por toda la ciudad, "¡¡QUE PAGAN!!", la ciudad llena de necesidades y tragedias, de indiferencia y de cinismo; y todos agradecidos, porque aunque sea una mierda[33] y
25   estemos perdidos para siempre, hoy es día de cobro, hoy pagan.

Tiré la colilla al fondo del pozo y escupí (tenía que abandonar por un momento el apoyo de la pared y el mirador, porque avanzaban puestos en la cola, todavía la primera, y me encontraba ya en medio del pasillo, cerca de la ventanilla); allí estábamos todos. ¿Cómo nos enteramos de un
30   día para otro[34] de que *pagan*, cuando han pasado meses sin pagar y nosotros ya nos hemos cansado de llamar por teléfono o de ir a preguntar, y estamos encerrados en nuestras casas o languidecemos en los cafés? ¿Quién es el primero en saberlo? ¿Cómo podemos comunicarnos *todos* con tanta rapidez? Ayer a estas horas no pagaban, ni se sabía cuándo iban a pagar;
35   hoy, sin embargo, todos estamos aquí.

---

[29]**por lo que sea**: *for whatever reason.*
[30]**también yo me la agenciaría**: *I would also get her* [**agenciar**: to solicit].
[31]**uno de la radio**: *one of the radio writers.*
[32]**un chulo . . . bien**: *a rogue of the kind you like.*
[33]**aunque sea una mierda**: *even though it's a crappy pittance.*
[34]**de un día para otro**: *from one day to the next.*

Hay tipos a los que no conozco; debe ser gente de la radio, de la televisión, guionistas, locutores, etc., a los que muchos escritores puros miran con desprecio, dicen que por su ignorancia y su estupidez, pero yo creo que es porque son más populares que ellos, ganan mucho más y andan mejor vestidos; o acaso sean los que hacen esas revistas desconocidas, medio clandestinas, en que se falsean las estadísticas y se inventan progresos y otras hazañas. Pero en general sé perfectamente quién es cada cual, aquí todos nos conocemos, hay amigos, enemigos, compañeros, contrincantes, rostros sólo vistos alguna otra vez en este mismo lugar o en el café, en una revista o en la pantalla de la televisión.

Aparte de V.G., que está delante de nosotros en la cola (Milú ya se empieza a cansar, y en realidad aún no hemos empezado; voy a tener que mandarla a tomar algo, la mandaría si hubiese cobrado y tuviera dinero, pero entonces me iría yo también), hay en esta aglomeración de gente, en la parte del pasillo que alcanzo a ver, una serie de personas que se pueden reseñar.[35] Está llegando a la primera ventanilla, también delante de nosotros, el ilustre académico D. Luis Pelayo, Gran Cruz de Isabel la Católica, que tiene la manía de querer pasar desapercibido; en otra cola se vuelve hacia aquí el rostro de Rafael Nicolás, el escritor Independiente, ja, ja, que fuma pitillo tras pitillo para tener siempre la boca ocupada y no dar explicaciones, si es que se le pidiesen; más allá el poeta social, Juanito del Encinar, con el bolígrafo preparado para firmar. Por ahí se desliza, por perder la costumbre, la joven María Pombo, que dijo en una noche de borrachera: "Yo vendo lo que tengo: talento, así que soy como una cualquiera de esas", sólo que peor. Y más allá, juntitas, las hermanas Bronte. El importante Luzio Páramo, aquél que escribió: "El estupor de su cara se reflejaba en el rostro", con lo que hizo fama; el gran Leo Cincinati, más famoso si cabe por su facilidad para hallar seudónimos con que firmar sus bellaquerías; nuestro pequeño Dostoiewski —¡hay que tomarlo en serio, él hace todo lo posible!—, tan suficiente y tan seguro; eso quisiera verlo yo, cuando está en su casa copiando los comienzos de las novelas de otros arañándose la cara para poder seguir, tachando y tachando y rompiendo papeles. Santiago González, el editorialista, dedicado a contradecir particularmente lo que escribe sin firma en el periódico,[36] para que los amigos no dejen de saludarle; en fin, Ernesto Carajo detrás, que a éste no le importa nada de lo que pasa y si le dicen que escribe con los pies[37] él

---

[35]**que se pueden reseñar**: *that can be sketched out.*
[36]**dedicado . . . periódico**: *dedicated to contradicting what he writes, especially the articles he leaves unsigned in the newspaper.*
[37]**que escribe con los pies**: *that he writes horribly.*

contesta riendo que sí, que con los pies, tan poco es el trabajo que le cuesta
y tan poco se esfuerza; Rodrigo Gómez, el crítico exigente (también
mentira), muy atildadito y estirado;[38] "Bilis", que luego niega que haya
estado aquí, en estas colas, y que lo haga; el bonito ese de la tele,[39] tan luci-
5   do, y la voz del locutor de la radio, por encima de las demás voces, poniéndose en evidencia (yo creí que sufría al tener que decir todas esas
barbaridades en el micrófono, al tener que reírse de ese modo o hacer que
sorbe una cucharada de sopa, para terminar: "¡Uy, qué rica!", y me decía:
"Este tipo tiene temple,[40] ha de fastidiarse y hacer lo que le mandan. ¡Y
10   qué bien le sale! Es muy buen actor . . . ", hasta que me di cuenta de que el
tío es tonto de remate, y hace tan bien esas estupideces porque con eso dis-
fruta y se encuentra a gusto, porque eso es lo suyo, y si tuviera que hacer
algo serio destinado a personas como yo, por ejemplo, fracasaría: me
muero de risa.).

15   Estos son algunos de los tipos que veo en la primera parte del
pasillo, sin contar a otro académico que acabo de reconocer y a uno de
gafas, muy alto y pálido, que siempre veo aquí cobrando montones de
ocho y diez mil, y del que sé que tiene la encomienda de Alfonso X el
Sabio,[41] es Procurador en Cortes y no firma más que nóminas y recibos;
20   ignoro lo que hace, seguramente serán discursos, a juzgar por el precio.
Dando la vuelta por el pasillo, en torno al pozo del patio donde se sigue
escupiendo y arrojando colillas, podríamos seguir contando pájaros, de
diferentes tamaños y calidades, garras y picos[42] (quise acercarme un momento y le dije a Milú que no se moviera del sitio, de nuestro puesto, pero
25   después de cruzar dos de las colas siguientes, cada vez más nutridas y confusas, hube de dar la vuelta, porque no podía avanzar más y, por otra
parte, Milú me llamaba, muy cerca ya de la ventanilla, la querida, dulce
ventanilla por la que me iban a alargar el primero de los papelitos para
cobrar mi dinerito e ir a celebrarlo con mi amorcito, bebiendo, comiendo
30   y todo lo demás); a algunos de los amigos o conocidos los oía hablar,
del otro lado, en alguna de las colas avanzadas, o incluso cantar; reconocí
por lo menos a Mico Menéndez, el que siempre dice que lo va a dejar, pero
no lo deja; a Glorita Suárez, que envejece, envejece, y a José Sánchez Fernández, que discute a gritos[43] (será con el funcionario de la ventanilla).

---

[38]**muy atildadito y estirado**: *very well-dressed and lofty.*
[39]**el bonito ese de la tele**: *that handsome guy from the TV.*
[40]**Este tipo tiene temple**: *This guy has temperament.*
[41]**tiene . . . el Sabio**: *he has the decoration (medal) of Alfonso X, the Wise.*
[42]**podríamos . . . picos**: *we could go on counting birds of different sizes, varieties, claws, and beaks.*
[43]**que discute a gritos**: *who is arguing loudly.*

Tampoco podían faltar los siguientes villanos: Estanislao Garrido, Leopoldo Ponte, D. Faustino Pilón, Alcalde, Giménez-Alzoy, etc., firmas que lo indican todo por sí solas sin necesidad de más explicaciones. En una palabra, que era día de cobro y había una buena reunión de literatos e intelectuales, casi todos los del país.

Al funcionario de la primera ventanilla le dije mi nombre, como de costumbre, y la clase de trabajo, y buscó en el bloque de tiques blancos[44] el que me correspondía. Tenía ante sí, sobre la pequeña mesa adosada, una serie de bloques de tiras de papel, cada uno de distinto color, todos atados con gomitas que el funcionario levantaba con dos dedos de una mano para pasar con uno de la otra, el medio, los tiques colocados por orden alfabético de apellidos, hasta encontrar el que buscaba. Me dio el mío (un papelito con los bordes punteados, como los sellos, en el que aparecía mi nombre, el tipo de colaboración y un número) y me fui con él al final de la segunda cola (Milú cansada detrás de mí), un nuevo barullo de personas apoyadas en las paredes y en las ventanas del patio.

Todos los de allí tenían su papelito en la mano, y algunos más de uno y de diferentes colores. Yo tenía uno solo y de color blanco, y esto —aunque ya no importa, de verdad— me satisfacía en cierto modo, pues me consideraba menos culpable que los que agitaban entre los dedos cuatro y hasta cinco tiques, y mucho menos que los que los tenían de colores (el gran Víctor, homenajeado por los humildes, es uno de ellos, y el escritor Independiente otro, y no digamos el joven Dostoiewski, que se infla). (Los distintos colores indican diferentes clases de trabajos, ¡y qué trabajos!, y el azul, y sobre todo el rojo, son los tiques de las faenas que no tienen remedio ni posible perdón, todos sabemos de qué se trata, pues aunque no lo firmen, lo escriben; allá ellos.)

Hubo un lío en la primera ventanilla porque no aparecían los tiques de José María Luján, un loco de poca categoría que había empezado con una novela, "Lascivo hasta la muerte", cuya publicación había sido prohibida, siguió con una "Vida de San Luis Escrivá" (para compensar y recobrar la confianza), de mucho éxito, y ahora amenazaba con "Talante y misión del escritor"; este tipo se ha convertido en el confidente de uno de los Delegados, y el auxiliar de la ventanilla acabó por pedirle perdón, al darse cuenta, y encontró sus boletos, muchos y de muy diversos tonos, algunos de ellos rojo. Más tarde ví a Lorenzo Romero, "Bilis", corriendo como un loco de un lado para otro en busca de una firma, un cuño o no sé qué que les faltaba[45] a sus recibos (estos olvidos son frecuentes, se los dis-

---

[44]**el bloque de tiques blancos**: *the block of white tickets*.
[45]**un cuño . . . faltaba**: *a seal (die-mark) or whatever it was that was missing.*

tribuyen los administrativos entre los literatos que más ganan y que peor escriben), y sin los cuales no podía cobrar.

—¡Esto es lo último! —gritaba—. ¡Ya hace uno lo que hace para que le paguen, y encima le ponen pegas . . . !⁴⁶ ¡Conmigo que no cuenten más!

5   Y un muchachito que se acerca tímidamente y pregunta:

—¿Pagan hoy también las colaboraciones de aprendizaje?

—¡Para esto no hay que aprender! le grita el gran Víctor, con su voz ronca—. ¡Esto se hace o no se hace . . . ! Mírenos usted a nosotros, joven. ¡Y si tiene usted ganas, persevere en su bella vocación!

10   Se rieron por allí y el chico volvió a preguntar, pero nadie supo responderle a ciencia cierta, y entonces él, por lo que fuera, se puso a la cola. Venía sin afeitar y con los pantalones zurcidos en las rodillas, ojeroso y pálido,⁴⁷ miserable. Daba lástima y merecía, de la manera que fuera, unos duros, siquiera para ir tirando.⁴⁸ El lo sabía, aguantaba.

15   Cuando ví, desde nuestro lugar en el pasillo, todavía junto a la puerta de entrada, que Borrelio salía, después de haber cobrado (a una de mis chicas se la había llevado él, una noche, y desde entonces nos hicimos íntimos; ha hecho de todo y lo sabe todo . . . , ¡si tuviera mi pluma . . . !), lo llamé y le dije que se llevara a Milú a tomar algo, estaba cansada, yo 20 debía seguir . . . (me entusiasmaba someterme a aquella prueba, que constituía casi un desafío, secretamente, para mí), y ella se fue con él abajo, encantada.

Me quedé solo —es un decir, en medio de la caterva—, y en seguida vinieron tres: Manuel Vivebien, Ernesto Carajo y otro, un tipo bonito de 25 los de la televisión, para saludarme o lo que fuera. Les expuse seriamente la situación, hablé como un duro, fríamente, aunque sonriente para causar más efecto, y quedó explicado lo de Milú. "Nada, nada . . . " En la segunda ventanilla me cambiaron el papelito blanco por el primer recibo, y con él me fui a la cola siguiente, a seguir fumando, escupiendo y tirando 30 las colillas al inmenso y profundo cenicero-pozo del patio, que olía cada vez peor y al que todos, en un momento u otro, deberíamos caer, desgañi-tándonos por el aire y aplastándonos con mucho ruido sobre las inmun-dicias,⁴⁹ nuevas inmundicias calladas y rotas para siempre, para no poder hablar ni escribir más a máquina, con lo que todos saldrían ganando, al 35 aclararse las cosas.

---

⁴⁶**le ponen pegas**: *they cause him trouble.*

⁴⁷**con los . . . pálido**: *with patches on his knees, pale and sunken-eyed.*

⁴⁸**ir tirando**: *barely make ends meet.*

⁴⁹**desgañitándonos . . . inmundicias**: *screaming and pressing ourselves noisily against the filthiness.*

Pero mientras tanto me encontré frente a Dostoiewski, en una de las idas y venidas de las colas (Milú seguía abajo, con el atractivo Borrelio, mucho más loco que yo y más simpático, capaz de cualquier cosa), y como yo nunca le he dicho lo que pienso acerca de él, me empezó a hablar de las cosas que pasan. (Los granitos de la frente se le ponen rojos y tiene que 5
echar de vez en cuando las gafas cuesta arriba, tan delgadito y tan pálido, aplicado, trabajador, esclavo.)
— ¿Has visto el palo que le he dado ... ? Te recomiendo que lo leas, es algo definitivo ... ¡Un impacto, un verdadero inpacto! Me llaman por teléfono, me escriben cartas ... ¿Qué quieres que le haga? ¡Es que no se 10
puede consentir que ... ! ¿Te has fijado? Yo no puedo quedarme callado, mudo ante semejantes acontecimientos. Cuando uno elige esta dedicación, tiene que saber a lo que se expone. Cuesta mucho decir la verdad. ¿Crees que lo que me pagan aquí ... ? Es una miseria, pero hay que aguantar, mientras no vienen tiempos mejores. Escribir es sangrar. En nuestro 15
tiempo, no se puede permitir ... Yo cuando escribo soy como un ángel, un ser de otros mundos, un ser asexuado e imparcial,[50] que ha de dar cuenta ... Y el problema de España es precisamente ése: el fracaso de las vocaciones. Si cada cual ...

En la otra ventanilla me dieron el duplicado del recibo y Milú sin venir, 20
y en la siguiente el triplicado, y ella sin regresar. Yo no tenía ni cinco, TODAVIA,[51] y seguí fumando y escupiendo en el pozo. Doblé la primera esquina del pasillo y presenté en la cuarta ventanilla (después del tiempo correspondiente en la cola) los tres recibos (o sea uno, por triplicado) firmados y rubricados, junto con mi carnet de identidad, para 25
verificar la comprobación (el funcionario miró la firma de los recibos, la del carnet, aquella un poco más apresurada, descuidada, simplificada u oficiosa que ésta, como es natural), después de lo cual el oficinista me puso el visto bueno.[52]

Pasaba el tiempo, aunque lentamente, y a la vez descendía el clima de 30
euforia o entusiasmo, si bien[53] no decaía del todo. Podía verse a la gente apoyada en las paredes con desgana y fatiga, inclinada sobre las ventanas del patio más decaída y triste cada vez, apagadas las voces y cortadas las sonrisas y la alegría, que no renacían hasta que se llegaba a la última ventanilla y se cogía el dinero, se tocaba, billetes verdes o castaños,[54] contán- 35

---

[50]un ser ... imparcial: *a sexless and impartial being.*
[51]Yo no ... TODAVIA: *I didn't even have a five-spot YET.*
[52]me puso el visto bueno: *he stamped the receipts for me* [el visto bueno: O.K.].
[53]si bien: *even though.*
[54]billetes verdes o castaños: *brown or green* (i.e., *large denomination) bills.*

dolos, y se guardaba en la cartera (los periodistas tienen unas carteras muy
sencillas, con una inscripción en la primera hoja que dice: "JURO ante
Dios, por España y su Caudillo, servir a la Unidad, a la Grandeza y a la
Libertad de la Patria con fidelidad íntegra y total a los principios del Estado
5 español, sin permitir jamás que la falsedad, la insidia o la ambición fuercen
mi pluma en la labor diaria. El Titular de la Cartera. Firma, Fulano de
Tal"), o en el bolsillo del pantalón para salir de allí corriendo, hasta la
próxima vez, que ojalá sea pronto.

    Algún lío que se forma en alguna de las ventanillas, con un escritor
10 rojo de indignación y de ira por el lado del pasillo, que es el que se ve, y
una voz paciente y cansada (o más irritada si cabe, a veces) por el otro lado,
detrás de la ventanilla (no se ve más que el mentón, o la boca y la nariz y
parte de los ojos, si el funcionario se inclina para dar explicaciones o
insultar), es lo único que nos distrae de vez en cuando de nuestro tedio y
15 de nuestra espera, en las diferentes colas, diversas etapas o trámites, cada
uno en su lugar y viva Dios y todo por la Patria, qué coño.[55]

    Pero no, la verdad es que esto cansa, aunque estemos acostumbrados
y casi amaestrados, como los animales en el circo,[56] que es lo que se han
propuesto.

20   Fumamos nuestros pitillos arrimados a las ventanas del patio, cansados, mirando al vacío o respondiendo, con ademanes casi imperceptibles,
a cualquier indicación que hace alguno de las ventanas de enfrente: uno
que te dice que te espera abajo, otro que a dónde vas a ir esta noche, la
escritora de turismo que te contempla para que empieces, como la otra
25 vez . . . Total, la saliva y el humo, la colilla al fondo del pozo, a pudrirse.

    En la ventanilla de los sellos me di cuenta de lo que iba a pasar cuando
le alargué los recibos y el tío se puso a pegar un timbre de cuarenta
céntimos en cada uno de ellos. Total, una veinte. Me alargó luego los recibos con los timbres, esperando.

30   —Ahora cobro y le traigo la una veinte— le digo.

    —Eso va a ser motivo de confusión —me dice, irritado—. No puedo
andar poniéndoles los timbres a todos ustedes para que luego me traigan
el importe.[57] Yo tengo mis métodos, no vamos a andar formándonos líos
toda la mañana.

35   —No se preocupe, es un momento. Siga usted, que ahora le pago.

---

[55]**cada uno . . . qué coño**: *each one in his place and long live God and everything for the father-
    land, what the hell.*
[56]**casi amaestrados . . . el circo**: *almost trained, like the animals in the circus.*
[57]**No puedo . . . importe**: *I can't go sticking on (revenue) stamps for all of you on the promise
    you'll pay me later* [**importe**: amount due].

—Tenga usted la bondad, eso es un trastorno para mí. ¿No tiene usted suelto? Yo le cambio.

—No, no tengo —le digo—, precisamente vengo a cobrar... En cuanto me paguen, vengo y le pago a usted la una veinte.

—En ese caso —alargó la mano decidida hacia mis recibos— vaya usted antes a la Caja, que le paguen, y luego viene aquí.

Se ha formado una gran curiosidad entre los cuervos, en torno a mi problema. Se han acercado y escuchan, esperando un desenlace. Quizá a alguno de ellos le interese el caso para algún argumento.

— ¿Sin los recibos? —digo tontamente.

El se encoge de hombros, pero yo aún no he soltado mis recibos.

—Mire, usted sabe que para que me paguen tengo que llevar los recibos con los timbres correspondientes.

—De acuerdo —asiente—, usted tiene que pagarme los timbres.

—No tengo dinero, ni siquiera una peseta y veinte céntimos. Cuando cobre, lo tendré.

El hombre sigue encogiéndose de hombros, dispuesto a quedarse mudo conmigo, sin soltar la punta de los recibos que tiene cogida entre sus dedos.

Al mirar hacia atrás de nuevo, conteniéndome, veo llegar a Milú.

—Una veinte —le digo—. Los timbres.

Ella revuelve en su bolso, pero es Manolo Vivebien quien me alarga la calderilla,[58] de pronto, con el brazo extendido por entre los compañeros literatos.

—Toma.

—Tome —le digo al funcionario—. El celo de usted me parece fundamental para la buena marcha del país. Siga así...

Luego estuvimos esperando en la cola siguiente, y los recibos timbrados me los cambiaron por la orden de pago, una hoja de papel más grande, como un folio, llena de firmas de autoridades y de vistos buenos de los jefes, que es lo que tienen que hacer.

Aún faltaban otros trámites y otras colas, otras ventanillas. No sabía si podría aguantarlo. Apareció allí Fernando Ortega, el pintor, que parecía venir buscando a alguien, y le pregunté:

— ¿Ya has cobrado?

—Sí —y siguió mirando por allí—. ¿Has visto a Borrelio?

—Supongo que estará abajo, en el bar. Voy contigo.

Y dejé a Milú por un momento en mi lugar, diciéndole que volvía en seguida.

---

[58]**me alarga la calderilla:** *gives me the change.*

—Invítame pronto a algo —le dije por las escaleras a Ortega—, que no aguanto más.

Tomamos varios vasos de vino en la barra del bar y comimos algo y le dije:

5 —Déjame algo, para invitarte yo, que ahora cobro y te lo devuelvo.

Pero el pintor no quiso (organiza unas bacanales de espanto en su estudio)[59] y siguió invitándome, y yo seguí bebiendo, porque me hacía buena falta, vino.

Estaban en la taberna algunos de los cretinos[60] que había visto arriba 10 (Borrelio ya se había ido, aunque le dijo al camarero que dijera que volvería, si preguntaban por él), pero no tenía ganas de hacerles caso.

—Estoy harto —le grité a Ortega, que empezaba a agitar los bigotes, más cada vez según iba bebiendo conmigo—. Parecemos borregos . . . , perros amaestrados, hienas o algo malo . . . ¿Te has fijado como nos 15 tratan?

—Como lo que tú dices —asintió, patéticamente—, así nos tratan.

— ¿Y a tí qué te parece?

— ¿Qué me va a parecer? Lo mismo que a tí. Muy mal, ¿no?

— ¿No somos la savia del país?[61]

20 — ¿La savia?

—Bueno, la gente se entretiene . . .

—Eso, sí.

—Estoy harto, macho, estoy harto. Pero no sé qué hacer . . . A tí, ¿qué te parece?

25 — ¿Qué me va a parecer a mí?

—Digo . . . ¿Podría hacer otra cosa? A qué me podría dedicar yo, vamos a ver . . . —y estuve echando cuenta mentalmente, pasando lista a diversos oficios y ocupaciones.

—Lo que yo hago podría estar bien —añadí—, haciéndolo de otra 30 manera, ¿no crees?

— ¿A qué te refieres? Tú sabrás.

—Bueno —le dije, para acabar—, voy a subir, a ver si cobro, no sea que cierren. Si todavía estás aquí cuando baje, te invito a lo que quieras. ¿Conoces a Milú? También te la presentaré.

35 Arriba, Milú tenía el papel, la orden de pago, pero como yo no estaba, no pudo avanzar en los trámites y perdimos todo aquel tiempo. Me puse

---

[59]**organiza . . . estudio:** *throws some wild parties in his studio.*
[60]**algunos de los cretinos:** *some of the idiots.*
[61]**¿No somos la savia del país?:** *Aren't we the lifeblood of the country?*

de nuevo al final de la cola en que la había dejado, la quinta o la sexta de la mañana, y seguimos . . . Aquel papel lo cambiamos por otro, una firma, otro visto bueno, nuevo cambio, etc., etc., la vuelta completa al pasillo todavía lleno de gente, siempre escupiendo y arrojando colillas y ceniza al patio (eso no se debe olvidar, porque algún día el pozo será nuestra blanda y fangosa, oscura tumba),[62] y al fin llegamos ante la última ventanilla, con un papelito tan pequeño e insignificante en la mano como el del comienzo.

El cajero me echó las ochocientas pesetas (un par de artículos de escasa calidad, sin mayor peligro, pero en esto me engaño: todo es lo mismo), después de haber hecho los descuentos y demás rapiñas[63] (cien pesetas para la Medalla de Oro del Delegado, que le regalábamos entre todos; cincuenta como aportación al Día de No Sé Qué,[64] ya celebrado . . .), y yo las guardé en el bolsillo izquierdo del pantalón, junto a las demás cosas que van de ese lado, aunque de bien poco valen, en ese sentido, y me abrí paso con Milú colgada del brazo, tan atractiva y tan buena: la mejor de todas las mujeres que había allí y de todas las que tenían o podrían soñar aquellos escritores sin imaginación ni talento, sin gracia para vivir, sin honra y sin espíritu.

Acababa de encender un cigarrillo y me acerqué a una de las ventanas para tirarlo casi entero al fondo del pozo y escupir, escupir cien veces con asco hasta ver cómo llegaba abajo todo aquello y aumentaba un poco más el nivel de inmundicia y podredumbre.

Entonces Milú y yo nos fuimos riendo, bajamos las escaleras entre grandes carcajadas y trozos de canciones, cantadas a dúo, y en el bar nos reunimos con Ortega y el viejo Borrelio, que había ido a buscar a dos de sus chicas, y todos juntos comimos aquel mediodía y bebimos, comimos y bebimos de todo, desde el mediodía hasta la noche, en que se acabaron mis ochocientas pesetas y seguimos con lo que les quedaba a ellos, los seis juntos. Bebimos, bebimos, bebimos . . . ¡oh, bebimos más todavía!, gritando al final mueras a todos los literatos y locutores de radio y vivas solamente a las chicas que se acuestan con uno y a todo aquello que tenga alcohol y esté un poco frío.

Yo me acordaba de los tiempos del hambre, la mía, a los que no quería volver de ningún modo. Ni tampoco a los de la sed.

Desde luego, al final —ya de madrugada—, nadie tenía una peseta.

---

[62]**nuestra . . . tumba**: *our soft and muddy, dark tomb.*
[63]**hecho . . . rapiñas**: *having discounted the usual and taken out the other robberies.*
[64]**cincuenta . . . No Sé Qué**: *fifty pesetas for some Day of Who Knows What.*

CUESTIONARIO

1. ¿Quiénes subían en el ascensor?
2. ¿Quién era Víctor Robles?
3. ¿Con quién iba Milú?
4. ¿A qué fueron al último piso del edificio?
5. ¿Qué clase de oficinas eran aquellas?
6. ¿Qué es el pozo?
7. ¿Por qué llevó el protagonista a Milú?
8. ¿Qué observa el autor sobre el conserje?
9. ¿Para qué eran las distintas ventanillas?
10. ¿Qué hacía la gente mientras esperaba?
11. ¿Qué comparación hace con el parque zoológico el autor?
12. ¿Cómo sabían todos que era día de pago?
13. ¿A quién critica el autor?
14. ¿Qué piensa de los demás autores?
15. ¿Qué le ocurre cuando tiene que pagar timbres y no tiene dinero?
16. ¿Qué opinión tiene el autor de sí mismo?
17. ¿Qué hacen él y sus amigos cuando, por fin, cobran?
18. ¿Están justificados los celos que tiene a otros?
19. ¿Por qué no tienen dinero nunca?
20. ¿Es justo criticar a los demás y gastarse todo lo cobrado en una noche?

TEMAS

1. Describa a Víctor Robles en su vida profesional.
2. Háblenos de alguna ocasión en la cual haya tenido Vd. que hacer cola durante varias horas.
3. Diga cómo es Milú y por qué va con los escritores.
4. Explique cómo es el día de pago para los empleados que tienen que atender a los que van a cobrar.
5. En esta narración se critica la burocracia. ¿Está justificada esta crítica? Díganos por qué.
6. ¿Encuentra Vd. varios significados en la imagen del pozo?

EJERCICIOS

I. Complete las frases siguientes con la palabra o palabras apropiadas.

1. El protagonista va a _____.
2. No le gusta que Víctor _____ a Milú.
3. Los pasillos están llenos de _____.
4. El autor contribuye a ensuciar el _____.
5. Cree que _____ tiene tanto talento como él.
6. Critica a unos por una cosa y a otros por _____.
7. Todos los _____ van a que les paguen.
8. Muchos se _____ del tiempo que han de esperar.
9. Les molesta que los _____ quieran cumplir con su deber.
10. Al final se _____ lo que han cobrado absurdamente.

II. Elija la expresión que completa las frases siguientes.

1. Miran a Milú porque es (*fea, atractiva, pelirroja*).
2. El autor solía llevar una (*paleta, chica, cartera*) bonita en días de pago.
3. Los que esperaban en la cola (*escribían, rayaban, mordían*) la pared.
4. El pozo tenía ya mucha (*luz, suciedad, agua*).
5. El autor cree (*pisar, conocer, asociar*) los defectos de todos.
6. Se burla de los que hacen (*el indio, lo que les mandan, cine*).
7. Nombra con (*fruición, tentación, desprecio*) a muchos escritores.
8. Se queja de que los traten como si estuvieran (*tontos, amaestrados, enfermos*).
9. Sin embargo les (*quieren, pagan, escriben*) a todos.
10. Luego el autor se (*come, malgasta, guarda*) el dinero.

III. Basándose en el texto, complete las frases siguientes.

EJEMPLO: Nos encontrábamos todos _____.
Nos encontrábamos todos <u>desorientados y violentos.</u>

1. En realidad _____.
2. Doblé la primera esquina _____.
3. _____ haber para rato.
4. Se hizo a un lado _____.
5. _____ no me fijé _____.

IV. Traduzca al español las frases siguientes, tomadas casi literalmente del texto.

1. He stepped aside to let Milú get out.
2. We were all somewhat lost and uneasy.
3. At first, I didn't pay too much attention to their faces.
4. Yes, this is going to take some time.
5. Actually, we were moving ahead in the line.
6. I turned the first corner in the corridor.
7. This really isn't tiring.

CUESTIONARIO GENERAL
SOBRE LA OBRA DE DANIEL SUEIRO

1. ¿Qué temas trata Daniel Sueiro en estos dos cuentos?
2. ¿Qué predomina en el modo de escribir de este autor: acción, repetición, sorpresa, crítica?
3. ¿Cómo son las descripciones de Daniel Sueiro, y qué objeto tienen?
4. ¿Qué elementos encuentra Vd. en común, temático o de lenguaje, en "El pozo" y "Mi asiento en el tranvía"?
5. ¿A qué presta más atención Sueiro en sus cuentos, a lo que ocurre o cómo ocurre?
6. ¿Descubre este autor algo sobre el alma humana que Vd. no sabía antes?
7. ¿Aplica bien Sueiro su propia "cuentística"?
8. ¿Qué elementos faltan o sobran en "El pozo", según la "cuentística" de Sueiro?

CARMEN IRANZO

Carmen Iranzo vive actualmente en los Estados Unidos, donde se dedica a la enseñanza del español. Ha residido en varias partes del país, y anteriormente pasó varios años en Méjico, donde se casó con un profesor de español estadounidense, y con quien cultiva activamente el teatro y la música clásica, siendo ambos cantantes.

Ha hecho estudios sobre la música vocal antigua española, traducciones de varias clases y ha colaborado en algunas revistas y periódicos españoles y del país. Actualmente tiene en prensa varios cuentos y dedica el tiempo posible a escribir, tanto en español como en inglés. Gran parte de sus escritos pertenecen a una colección de "Escenas españolas", de la que aquí incluimos dos, "Pensiones" y "El balcón". Otros tratan de impresiones de viaje y residencia en varios países, además de cuentos infantiles.

Tan frecuentemente como le es posible pasa algún tiempo en España, sobre todo en Valencia, donde nació en 1925, y de donde salió con su familia en 1947 para reunirse con su padre en el Nuevo Mundo.

ACERCA DEL CUENTO

¿Qué es un cuento? Eso digo yo, ¿qué demonios es un cuento? Para mí la palabra cuento siempre ha tenido cierto sabor a esas narraciones que devoramos de niños o que se nos administraron como el abecedario.[1] Cuentos de hadas, de príncipes y hermosas princesas, de niños buenos y madrastras crueles, de toda clase de monstruos y hechizos, de animales que hablan y van de merienda,[2] de tierras ignotas y lejanas, llenas de luz y piedras preciosas, siempre tendiendo al niño, con el gnomo que no existe, el anzuelo atractivo de lo desconocido.[3] De algunos de estos cuentos aprendí que no se debe hacer nada malo, o el dragón se nos comerá; de otros no aprendí nada, ni siquiera me sirvieron de pasatiempo, y por último otros me hicieron mucho daño; entre estos se cuentan los que hablan de maravillas, de cosas irreales e imposibles dado el tamaño y la vida real del niño. Estos me dejaron un sedimento maligno:[4] ¿Por qué no vivimos en Jauja[5] o en uno de esos países maravillosos? ¿Por qué no nací princesa? ¿Por qué hay que ir al colegio? ¿Por qué tengo que comer pollo? ¿Por qué tengo el pelo liso? ¿Por qué me salen sabañones?[6] Estas incógnitas crecen con la niña y van tomando formas distintas según pasa el tiempo, siendo reemplazadas por otras como la piel de la serpiente. Llega un día en que podemos dejar de comer el odiado pollo, pero nunca el día en que, en lugar de comer otra cosa, dejamos el pollo en el plato, impunemente, porque hemos pasado miseria y hay mucha alrededor, y si estropeamos el pollo nos remorderá la conciencia hasta que se nos coma el dragón.

[1]**que se . . . abecedario:** *that were fed to us like the alphabet.*
[2]**animales . . . merienda:** *animals that talk and go on picnics.*
[3]**el anzuelo . . . desconocido:** *the luring bait of the unknown.*
[4]**me dejaron . . . maligno:** *they left me with a malignant growth* [**sedimento:** residue].
[5]**Jauja:** *imaginary place such as Never-Never Land.*
[6]**¿Por qué me salen sabañones?:** *Why do I have chilblains?*

Quizá por eso "cuento" significa para mí algo totalmente irreal, aunque siempre basado en algo real, y sin saberlo he estado escribiendo cuentos en mi cabeza desde que tengo memoria, pues la vista "real" del calcetín que amenaza con salir por el agujero de la pila[7] o del gusano que de repente asoma en una manzana me llevaban al mundo irreal de la familia de ese calcetín, o de las aventuras del gusano huerfanito; y así las memorias de una cafetera en altamar,[8] o la odisea de un tornillo recalcitrante[9] salieron a la luz. La maceta en el balcón o el coche fúnebre, empero, me transportan al mundo real e imaginario que está demasiado cerca para considerarlo de "cuento". Por eso mis escritos pueden calificarse de para adultiños, o sea unos para adultos y otros para niños.

Si podemos olvidarnos por un momento del eslabón que nos une al cuento infantil, me parece que lo que ahora se llama cuento es una composición de cierto número de páginas, que, para mayor claridad, oscila; que por no ser novela, folletín ni obra de teatro, tiene que llamarse de alguna manera. A mi juicio el cuento debe ser como una naranja, un poco achatado por los polos, que son uno el principio y otro el final, y que consiste en su parte central de un episodio entero, sea cual sea su naturaleza, contenga moraleja o no, nos enseñe algo o refleje algo que ya sabíamos, nos haga llorar o nos haga reir.[10] Claro que el lector debe ir dispuesto a entregarse, no a esperar algo trágico cuando no hay el más leve indicio de que vaya a serlo porque él tiene ganas de leer algo así. El escritor en cambio debe plasmar en su obra, por minúscula que sea, lo que sintió al escribirla de modo que se transmita al lector, y mantenga su interés por llegar al desenlace, sea lo que sintió añoranza, odio, tristeza, piedad, risita o una experiencia propia o ajena que por cualquier causa encontró memorable.

Lo del estilo y las influencias que mucha gente se empeña en encontrar, es otro asunto: si me gustan Bécquer y Pérez Zúñiga es porque me "llegan",[11] pero no por eso voy a imitarlos. El tema

---

[7]**del calcetín . . . de la pila**: *the sock that threatens to slip down the drain.*
[8]**una cafetera en altamar**: *a coffeepot on the high seas.*
[9]**la odisea . . . recalcitrante**: *the odyssey of a stubborn screw.*
[10]**nos haga llorar . . . reir**: *whether it makes us cry or laugh.*
[11]**porque me "llegan"**: *because they "reach" me.*

es lo que para mí determina el uso de prolijas descripciones o la parquedad. La escena que veo ante mis ojos, la palabra que oigo, son las impulsoras del capullo que se abre o del grano que hace cabeza,[12] sacando así fragmentos de lo que se ha estado madurando en mi cerebro toda la vida, tres años, dos horas, el tiempo que sea. Por otro lado no lo he aprendido todo en libros, sino que he sentido muchas cosas sobre mis costillas y otras partes de mi anatomía,[13] habiendo vivido y trabajado bajo distintos cielos, entre distintas razas y lenguas. Pero no nos apartemos del asunto a tratar. ¿Qué es un cuento? Sí, ¿qué es un cuento? Es la realidad del adulto mezclada a la fantasía del niño, la realidad del niño que llevamos dentro mezclada a la fantasía irrealizable del adulto, plasmada en palabras según la mezcla predominante a la hora de coger la pluma o destapar la Hispano-Olivetti.

---

[12]**del grano ... cabeza :** *of the pimple that comes to a head.*
[13]**sobre ... anatomía :** *in my bones and in different parts of my body* [**costillas :** ribs].

NARRACION TRUCULENTA

El astrónomo colgaba de las puntas de los dedos, las cuales se aferraban al último barrote de la escalera metálica de salvamento. ¿Cuánto tiempo llevaba allí?[1] Había perdido la noción del mismo. La noche era oscura como la proverbial boca lupina; el silencio era tan espeso que apenas lo cortaba el crujir de alguna rama de los cercanos árboles; bajo no se distinguía nada. Un vientecillo fresco agitaba de vez en cuando las hojas y producía en el astrónomo un escalofrío detrás de otro, pero no tanto de frío sino de verse en medio de una situación como de niño le aterraba ver en el cine o leer en novelas policíacas. ¿Cómo había ocurrido aquello? Pensó en su situación para posponer lo posible[2] que entrara en su imaginación la realidad del inminente entumecimiento de sus estirados brazos, sosteniendo su peso, y que empezaban a dolerle. La escalera de incendios se extendía hacia arriba ante sus narices hacía un momento. Ahora estaba sobre su cabeza, terminando en la ventana de la torre del observatorio; mejor dicho, sabía que estaba allí porque él estaba asido a ella,[3] pero no podía verla. Empezó a repasar, como si pudiera servirle de algo ahora, los acontecimientos de esa tarde. Ni siquiera podía llamarlos así, porque no había nada de extraño en sus acciones. Al atardecer[4] había ido a estudiar un poco y usar el potente telescopio en cuanto cayera la noche. El conserje le advirtió que se iba a casa y que cerrase bien al salir. Asintió nuestro hombre de ciencia[5] con gesto aburrido, pues como tantísimo habitante de nuestro planeta estaba convencido de que las advertencias se han hecho para fastidiar.[6] Por lo tanto no escuchó al conserje entonces ni cuando éste le dijo que tuviese cuidado de que no se le cerrase la puerta, o se quedaría dentro de la torre o en el pasillo sin poder entrar.

Esta era una medida de precaución, pues solo el conserje poseía llave

---

[1]**¿Cuánto tiempo llevaba allí?**: *How long had he been there?*
[2]**lo posible**: *as much as possible.*
[3]**estaba asido a ella**: *was holding on to it.*
[4]**Al atardecer**: *At sundown.*
[5]**Asintió . . . ciencia**: *Our scientist nodded his assent.*
[6]**las advertencias . . . fastidiar**: *warnings are for the purpose of bothering people.*

de la torre, y dejaba la puerta preparada para que cuando el último profesor se fuese diera un portazo y andando.[7] Nuestro hombre, enfrascado en sus cálculos,[8] ni movió una pestaña cuando una ráfaga de aire cerró la puerta de un recio golpe. La noche había caído como tiene por costumbre,
5 en unos sitios paulatinamente, en otros como si hubieran tirado de un cordón. El telescopio aquel era magnífico. Usólo nuestro protagonista hasta que unos negros nubarrones le impidieron ver nada en el firmamento. Esto no era lo que había oído cuando dieron el parte meteorológico. Miró la hora. Eran las diez y media. ¿Por qué no marcharse a casa puesto que no
10 podía ver nada? Se puso pues la bufanda a franjas verdes y el gorro igual que su mujer le había tejido para que no se helara cuando hacía largas observaciones desde el tejado y se dispuso a salir. Mas la puerta no cedió.[9] Incrédulo trató de abrirla repetidas veces sin el menor éxito. Probó todas sus llaves. Nada. ¡Ah!, llamaría al conserje por teléfono. Pero el teléfono estaba en el
15 piso anterior. Y no había ni un alma en todo el edificio. Su mujer no tardaría en alarmarse, o, al menos, inquietarse; y llamaría por teléfono y no habría quien contestara; y aun en el caso improbable de que tuviese un presentimiento y fuese al observatorio . . . lo encontraría sumido en tinieblas, pues la lucecita se apagó en medio de estos pensamientos. Era el
20 colmo. No sabía dónde pudiera haber más perillas, y como es de esperar el interruptor de la luz no obedeció. Los compases y aparatos que tan bien conocía empezaban a transformarse en monstruos que no podía ver sino adivinar y oir quedamente. No podía quedarse allí toda la noche, eso era imposible . . . La ventana . . . sí, la ventana ofrecía el único medio de escape
25 posible. Escapar, sí, pero ¿a dónde? La noche seguía oscurísima, y no se veía ni la ventana. A tientas llegó a ella.[10] Intentó encender una cerilla, pero entonces se acordó de que no fumaba . . . A lo lejos veía la mortecina luz de alguna farola, semioculta por los árboles de que estaba rodeada la torre, y que ni con mucho iluminaba parte del observatorio. La escalerilla de
30 incendios, sí, eso, ¿no estaba allí? Pero, ¿podría alcanzarla? ¿Hasta dónde llegaba? ¿No llegaba hasta el piso anterior solamente? En realidad no estaba seguro de haberla visto.[11] Se quitó los guantes. Tentó el alféizar y encontró una barra de hierro. Se decidió a salir como fuera.[12] Su considerable estatura le obligó a hacer mil piruetas y contorsiones para poder poner
35 un pie sobre seguro[13] y sacar el resto de su cuerpo. Ya había colocado

---

[7]diera . . . andando: *would slam the door and that's it.*
[8]enfrascado en sus cálculos: *immersed in his research.*
[9]Mas . . . cedió: *But the door did not give.*
[10]A tientas llegó a ella: *Groping around he got to it.*
[11]En realidad . . . visto: *He really wasn't sure he had seen it.*
[12]Se decidió . . . fuera: *He decided to get out any way he could.*
[13]poner . . . seguro: *to find sure footing.*

manos y pies en sendos barrotes; emprendió pues el descenso coordinando bien sus movimientos. Bajaba, bajaba, mas no podía ver en qué parte del edificio se encontraba. De repente ocurrió lo temido: se acabaron los peldaños; al menos sus pies no daban con otro. Se detuvo un momento a reflexionar: quizá faltaba un barrote. Con cuidado, sin quitar un pie del 5 último peldaño, bajó una mano. Luego la otra, y probó de nuevo con un pie. Nada. Repitió la operación. Sólo había un barrote entre unas extremidades y otras. No podía quedarse allí doblado; caviló otra solución,[14] la única: saltar. Mas antes probó otra vez y ahora ya estaba pendiendo únicamente de sus manos. ¿Cuánto faltaría para llegar al suelo? ¿Un metro? 10 ¿Dos pisos? ¿Se lastimaría si tenía que dar un gran salto? La oscuridad era totalmente impenetrable. Apenas podía adivinar la masa informe del edificio y las copas de los árboles. Sonó un reloj muy lejano. ¿Las once? ¿Las doce? No pudo oir todas las campanadas. Hasta él llegó el ligero rodar de un auto, pero no le hubieran visto porque el observatorio estaba 15 alto y bien adentro, lejos de la calle. No podía juzgar distancias, dimensiones ni ver. Sus brazos empezaban a resentirse. Hablando consigo mismo,[15] pero en voz alta para hacerse la ilusión de que no estaba desesperándose, se convenció de que debía saltar. Si no lo hacía, ¿quién le decía que no le encontrarían muerto de frío? Había que aventurarse;[16] no quería 20 pensar en magulladuras; igual podía matarse . . . Abrió uno a uno sus doloridos dedos . . . y se encomendó a Dios, al diablo y a todos los santos. Un segundo después se hizo trizas el silencio.[17] ¿Quejidos? ¿Gemidos? ¿Gritos de dolor? No, nada de eso. Una estrepitosa carcajada, llena de sarcasmo y alegría enloquecedora. ¿Quién se reía de ese modo? El astrónomo, por 25 supuesto. Las copas de los árboles que adivinaba no eran sino modestos arbustitos. El gran salto, que tantos dolores y angustia había causado a nuestro héroe, había sido de . . . . ¡diez centímetros!

CUESTIONARIO

1. ¿Dónde estaba el astrónomo?
2. ¿Cómo era la noche?
3. ¿Por qué temblaba el astrónomo?

---

[14]**caviló otra solución:** *he racked his brains for another solution.*
[15]**Hablando consigo mismo:** *Talking to himself.*
[16]**Había que aventurarse:** *One had to take a chance.*
[17]**se hizo . . . silencio:** *the silence was shattered.*

4. ¿A qué había ido al observatorio?
5. ¿Qué pensó de las advertencias del conserje?
6. ¿Quién cerró la puerta?
7. ¿Por qué dejó nuestro hombre de usar el telescopio?
8. ¿Cuándo se dio cuenta de que no podía salir de la torre?
9. ¿Qué pensó hacer al ver que la puerta no cedía?
10. ¿Qué ocurrió con la luz?
11. ¿Qué le parecían monstruos?
12. ¿Por qué no pudo encender una cerilla para ver la ventana?
13. ¿Qué había fuera de la ventana?
14. ¿Cómo bajó por la escalerilla?
15. ¿Qué pensó al terminarse los peldaños?
16. ¿Por qué no podía socorrerle nadie?
17. ¿Cómo se sentía físicamente?
18. ¿Qué decidió hacer, por fin?
19. ¿Qué hizo tras encomendarse a Dios?
20. ¿Cómo fue la caída?

TEMAS

1. Describa al astrónomo y a su familia.
2. Díganos cómo es el conserje y qué piensa de su empleo.
3. Narre un episodio en que Vd. tardó mucho en "dar el salto".
4. Describa un observatorio si ha estado alguna vez en uno.
5. ¿Qué consecuencias le trajo al astrónomo no hacer caso del refrán "más vale prevenir que curar"?
6. Cuéntenos un episodio que le trajo malos momentos por haber descuidado un detalle.

EJERCICIOS

I. Complete las frases siguientes con la palabra o palabras apropiadas.

1. Estaba tan oscuro que no se _____ nada.
2. El viento _____ las hojas de los árboles.
3. Sus estirados brazos _____ a dolerle.

4. El astrónomo estaba _____ a la escalerilla.

5. No había nada de _____ en sus acciones.

6. Las advertencias no se han hecho para _____.

7. Los negros nubarrones le impidieron _____.

8. La oscuridad dentro y fuera de la torre era _____.

9. Si no saltaba le _____ muerto de frío.

10. El _____ fué solo de diez centímetros.

II. Elija la expresión que completa las frases siguientes.

1. El astrónomo colgaba de las (*cortinas, manos, sillas*).

2. La escalerilla arrancaba de la (*cabeza, teléfono, ventana*) de la torre.

3. Había ido a estudiar al caer (*el niño, los libros, la noche*).

4. El conserje ya le (*rió, leyó, advirtió*) que tuviera cuidado.

5. No había (*tomates, Paco, nadie*) en todo el edificio.

6. Encontró una barra de hierro al (*escribir, comerse, tocar*) el alféizar.

7. Sus pies no (*hundieron, oyeron, encontraron*) más peldaños.

8. Si tenía que dar un gran salto ¿se (*alegraría, cantaría, haría daño*)?

9. Hablaba (*por radio, a gritos, con su papá*) para no desesperarse.

10. Después, el silencio (*reinó, se rompió, vino*).

III. Basándose en el texto, complete las frases siguientes.

    EJEMPLO: Sus pies no daban _____.
                 Sus pies no daban <u>con otro peldaño</u>.

1. _____ paulatinamente.

2. No había ni un alma _____.

3. Apenas podía adivinar _____.

4. Mejor dicho, _____.

5. De vez en cuando el viento _____.

IV. Traduzca al español las frases siguientes, tomadas casi literalmente del texto.

1. The creaking of the trees barely broke the silence.

2. The wind rustled the leaves now and then.

3. In other words, he knew it was there, but couldn't see it.

4. Night closed in little by little.

5. There wasn't a soul in the whole building.

6. His feet couldn't find another step.

7. He could barely make out the shapeless mass of the building.

EL BALCON

Yo soy un balcón. Observo la vida del barrio, que como una máquina gigantesca se ocupa en sus labores cotidianas. Yo soy parte del engranaje de esa máquina. Las demás piezas son como yo, o tienen forma de ventana; luego están los niños, que alborotan constantemente jugando y corriendo,
5 pasando peinaditos al colegio;[1] y la gente del barrio que va y viene. Todas estas piezas se desgastan, se estropean, dejan de funcionar un día y otras las reemplazan, así hasta que la máquina consta de un nuevo engranaje sin haber dejado de funcionar un solo instante, a pesar de que muchas de sus piezas han dejado su sitio y la máquina ha cambiado de aspecto.[2]
10 Yo estoy en proyecto de derribo;[3] es decir, el edificio en que estoy enclavado, un edificio modesto. Soy un balcón corriente. Tengo barrotes de hierro con adornos que agradecerían mucho una manita de pintura.[4] En invierno sólo me usan para ver si mis dueños vienen a comer, si se ve venir el cartero,[5] si alguien llama a la puerta a deshora. En verano me
15 cubren con una persiana para protegerme un poco del sol; y me adornan con macetas de geráneos, murcianas y esparragueras. Sacan sillones de mimbre o mecedoras de rejilla al atardecer, cuando el sol empieza a perder su ardor; allí mis dueñas hacen labor,[6] leen novelas, reciben visitas; las jóvenes se confían secretos que poco a poco dejan de serlo.[7] A veces me
20 usan sólo para ver quién pasa. Pero yo estoy en mi sitio constantemente y me entero de muchas cosas. A veces algunas me llaman la atención. Por eso conozco la vida de tanta gente del barrio.

Pasa mucha gente por delante de mí, las piezas de la máquina de que hablaba antes. Entre ellas recuerdo a Marta y Elisa. Ambas eran hijas de
25 guardia civil;[8] vecinas; amigas. Solían pasear juntas, incluso se vestían igual con frecuencia.

---

[1]**pasando ... colegio:** *well-groomed (children) going by on their way to school.*
[2]**la máquina ... aspecto:** *the machine looks different.*
[3]**proyecto de derribo:** *earmarked for razing.*
[4]**agradecerían ... pintura:** *would welcome a coat of paint.*
[5]**si ... el cartero:** *if the mailman is coming.*
[6]**allí ... labor:** *there the girls of the house sew and embroider.*
[7]**se confían ... serlo:** *they tell each other secrets that little by little cease to be secrets.*
[8]**guardia civil:** *Spanish national policemen.*

Un verano empezó a acompañarlas[9] un guardia civil jovencito. Se decía que era castellano, de familia ilustre.

A poco las amigas se separaron. Solo pasaban Marta y el guardia civil. Marta siempre había tenido cierta propensión a abrir la boca en ligera sonrisa, que se acentuaba cuando hablaba. Pasaban los dos lenta- 5 mente, con las manos enlazadas, ajenos a lo que les rodeaba.[10]

Un día ví que llevaban sendos anillos. Se habían casado.

Me dediqué a observar a otros vecinos, puesto que este capítulo parecía haber terminado dichosamente. Entonces me fijé en Isabel, que llevaba más de un año de salir con aquel sargento de patillas, pero que a 10 pesar de haber pasado tanto tiempo seguía saliendo siempre acompañada de su hermana menor. El de las patillas había vuelto a Ibiza, donde tenía novia formal.[11] Ahora Isabel y su hermana pasaban juntas, solas, siempre en silencio.

Vi también a Maruja, que había casi doblado de peso desde que su 15 madre se había quedado paralítica y su padre salía de casa mucho más que de costumbre.[12]

A quien no he visto pasar desde hace tiempo es a Blanca. Creo recordar que tenía mucho color en las mejillas, y alguien dijo que estaba tísica . . .

Elisa sigue pasando sola; no ha hecho amistad con nadie desde que su 20 inseparable amiga se casó con el guardia civil. Parece como si algo se hubiese perdido entre ellas que ya no pueden encontrar.

El pasado invierno ha sido un poco duro. Qué delicia, ver de nuevo geráneos y sandalias.

Un día pasó Marta. Ya hace algún tiempo de eso. Iba sola, de luto 25 riguroso, con manto y todo.[13] La sonrisa había desaparecido de su cara. Me dio mucha pena[14] porque había seguido su trayectoria. ¿De quién sería el luto? ¿Su padre, su madre?

Unas semanas después pasó con un niño de pañales con cintas negras. Su vista ensombreció aquel día.[15] 30

Y siguió pasando, siempre seria. Con el niño acortadito.[16] El niño que

---

[9]**Un verano . . . acompañarlas:** *One summer they began to be seen in the company of.*
[10]**ajenos . . . rodeaba:** *unmindful of their surroundings.*
[11]**novia formal:** *engaged to be married.*
[12]**salía . . . de costumbre:** *used to go out much more than usual.*
[13]**de luto . . . todo:** *in deep mourning, veil and all.*
[14]**Me dio mucha pena:** *It made me very sad.*
[15]**Su vista . . . día:** *The sight of her darkened that day.*
[16]**Con el niño acortadito:** *With the child who had just stopped wearing diapers.*

empezaba a andar. Siempre que los veía me hería aquella ropita negra.[17] ¿Saldría de su riguroso luto aquella mujer? Tendría veintidós o veintitrés años a lo sumo. Cada vez que pasaba me olvidaba de los demás vecinos, de los niños que jugaban alegres bajo mi baranda.

5   No sé qué será de Marta,[18] porque el edificio en que estoy enclavado está en proyecto de derribo. Yo pasaré a convertirme en ventana o en escombros, no sé, y el barrio se olvidará de mí; pero de las piezas de esa gigantesca máquina no será tan fácil olvidarse, especialmente de la triste figura de Marta y su niño, tristes, enlutados, ensombreciendo la calle a su

10   paso.

CUESTIONARIO

1. ¿Quién narra este episodio?
2. ¿Qué observa?
3. ¿De qué es parte?
4. ¿Qué le va a ocurrir al balcón?
5. ¿Cómo es?
6. ¿Para qué lo usan en invierno?
7. ¿Y en verano?
8. ¿Qué hace el balcón siempre en su sitio?
9. ¿Qué conoce bien?
10. ¿Quiénes eran Marta y Elisa?
11. ¿Quién las acompañaba?
12. ¿Qué ocurrió con Marta y el guardia civil?
13. ¿Qué observó el balcón después de la boda?
14. ¿Qué le pasó a Isabel con el sargento de patillas?
15. ¿Qué les pasó a Maruja y a Blanca?
16. ¿Qué hace ahora Elisa?
17. ¿Quién pasó de luto?
18. ¿Cómo iba vestido el niño?
19. ¿Por qué ensombreció la calle su vista?
20. ¿Por qué no sabemos qué será de Marta?

---

[17]**me hería ... negra**: *that tiny black clothing was so painful to me.*
[18]**No sé ... Marta**: *I don't know what will become of Martha.*

TEMAS

1. Imagínese que es una puerta y díganos qué observa.
2. Cuéntenos cómo es la vida de su barrio.
3. Explíquenos cómo sabe Vd. si una persona está de luto.
4. Cuéntenos algo sobre un niño que Vd. conozca y que nació después de haber muerto su padre.
5. ¿Es verosímil que un balcón hable?
6. ¿Cómo ha conseguido la autora producir en Vd. una sensación de tristeza?

EJERCICIOS

I. Complete las frases siguientes con la palabra o palabras apropiadas.

1. El _____ es como una enorme máquina.
2. Yo soy una _____ de esa máquina.
3. Soy un _____ en proyecto de derribo.
4. En verano me protegen del sol con una _____.
5. En _____ no me usan mucho.
6. Conozco bien la _____ del barrio.
7. Marta y Elisa eran _____.
8. Marta y el guardia civil se _____.
9. Luego me fijé en el _____ de patillas.
10. Decían que Blanca estaba _____.

II. Elija la expresión que completa las frases siguientes.

1. Elisa sigue pasando pero (*cantando, sola, de prisa*).
2. Se ha (*roto, encontrado, perdido*) algo entre las dos amigas.
3. Un día también (*Blanca, Marta, Elisa*) pasó sola.
4. Iba toda vestida de (*rojo, verde, negro*).
5. En su cara ya no se veía la (*pintura, sonrisa, nariz*).
6. El luto era de su (*tío, marido, padre*).
7. El niño llevaba (*ropa, cintas, plumas*) negras en sus pañales.
8. Me dió (*gusto, ganas, pena*) verla pasar.

9. El barrio se (*reirá, secará, olvidará*) de mí.

10. No sé qué (*pensar, decir, será*) de Marta y su niño.

III. Basándose en el texto, complete las frases siguientes.

> EJEMPLO: Pasaban ajenos _____.
>   Pasaban ajenos <u>a lo que les rodeaba.</u>

1. Cada vez que pasaba _____.

2. Ya hace algún tiempo _____.

3. Yo pasaré a convertirme _____.

4. _____ está en proyecto de derribo.

5. Se decía _____.

IV. Traduzca al español las frases siguientes, tomadas casi literalmente del texto.

1. These parts wear out and stop working.

2. That building is earmarked for razing.

3. It was said that he came from an illustrious family.

4. They went by, oblivious of their surroundings.

5. That was some time ago.

6. Every time Martha went by, I forgot everyone else.

7. I will become a window, or rubble.

PENSIONES

De las varias pensiones en que hemos estado, la primera es la que dejó en nosotros más profunda huella, pues en ella estuvimos dos meses íntegros. Las otras gozaron de nuestra presencia de tres a diez días. La de la muy medieval ciudad de Salamanca era pensión de estudiantes, en una casa particular, y en el trato familiar y en la comida se notaba que aquello no acababa de ser negocio.[1] La de Granada fué más bien como hotel, comida variada, sopa hecha de sobras y de pan sobre todo. En Sevilla fuimos a parar a una cuyo propietario era valenciano, y aparte de su hija y la criada, en lugar de andaluz no se oía más que valenciano por doquier, y éste alternaba con inglés, portugués, alemán y francés. La cosa era brutal,[2] siendo el valenciano mi lengua vernácula, dicho sea de paso.[3] Los límites de la cocinera no encuadraban mucho terreno, y hasta hoy estoy harta de sopa de pescado, además administrada de noche. Pero volvamos a la pensión de Madrid.

Era grande, ocupaba toda una planta, ambos pisos, con diez y siete habitaciones por lado, comunicándose ambas alas por medio de un pasillo que atravesaba la cocina. Por ella teníamos que pasar para ir al comedor. Siempre se veía a una muchacha bien parecida pelando patatas o fregando, especialmente por la noche.

Las dos camareras eran madre e hija, igualmente extremeñas e igualmente estúpidas. La madre no sabía leer, y la hija, que estaba encargada de repartir el correo, decía a aquélla el número de la habitación . . . y confiemos en su memoria. Ambas se parecían también en lo cerradas de entendimiento.[4]

El cocinero, hermano de la dueña, ostentaba una chaqueta blanca a veces no muy limpia, con alguna que otra mancha[5] de sangre. Era delgado, entrado en años,[6] y con una barba de edad indefinible, pues cuando se afei-

---

[1] **no acababa . . . negocio**: *didn't quite qualify as a business.*
[2] **La cosa era brutal**: *It was really something.*
[3] **dicho sea de paso**: *by the way.*
[4] **cerradas de entendimiento**: *not too bright* [**entendimiento**: mind].
[5] **alguna que otra mancha**: *a few scattered stains (of blood).*
[6] **entrado en años**: *well along in years.*

taba, y ello ocurría de vez en cuando, lo hacía por distritos,[7] y cuando por fin decidió ir a Roma por todo[8] y afeitarse toda la cara de una vez, cambió su fisonomía por completo.

La dueña, también entrada en años, con su eterna bata gris y sus
5   pocos dientes, llevaba el mando a grito pelado,[9] única forma de tratar con el servicio.

La lavandera y la camarera madre se pasaban la vida discutiendo a voz en grito,[10] y cuanto más temprano empezaran mejor,[11] pues así los huéspedes no podían dormir más y se levantaban. Sus voces eran tan destem-
10   pladas[12] como desagradables, digno complemento de lo que se decían.

Servía el comedor una sobrina de los dueños, cuarentona, desaliñada y mal vestida, de poca higiene y peor gusto. Su intelecto corría parejas[13] con su aspecto, y si a esto unimos un cuerpo sin la menor armonía y una falta absoluta de respeto para con todo el mundo ... Todos los días iba a
15   misa, y apenas saludaba si uno se la encontraba por la escalera al regreso. El vestido negro y el velo que se ponía mejoraban considerablemente su aspecto, o será que le escondían el pelo.

La dueña gastaba lo mínimo en comida, y la variedad tampoco era mucha. El desayuno era siempre el mismo; también la sopa y el hervido
20   nocturnos; este último oscilaba según qué estaba más barato, las bajocas o la col. El pescado, eterno también por la noche, ofrecía empero el atractivo de ser distinto cada vez, y bien preparado. A mediodía había tres platos y postres, siempre manzanas o naranjas y plátanos; más tarde cerezas y albaricoques, pero plátano siempre. Al cabo de una semana empezábamos con
25   lo mismo. De vez en cuando había ensalada, pero a menos que se pidiera, tras haberla visto en la cocina, se escamoteaba[14] si ello era posible. Esta sólo constaba de lechuga, más vinagre que aceite, más agua que vinagre y un poco de tomate distribuído entre los comensales según el criterio de la cretina que servía el comedor. Quejéme en varias ocasiones de que dos
30   trocitos de tomate no eran suficientes para dos personas, y este diálogo, condensado aquí, se entabló, por mi parte normal, por la suya a voz en grito:

—Pues no hay más.

---

[7]**por distritos**: *one part at a time.*
[8]**ir a Roma por todo**: *to do it once and for all.*
[9]**llevaba ... pelado**: *ruled by shouting* [**pelado**: *raw, skinned*].
[10]**a voz en grito**: *yelling.*
[11]**cuanto ... mejor**: *the sooner they started, the better.*
[12]**destempladas**: *unharmonious.*
[13]**corría parejas**: *was a good match.*
[14]**se escamoteaba**: *was made to disappear.*

—Yo veo más en otras ensaladas.

—Pues está muy feo mirar lo que dan a los demás.

—Anda, pues trate a todos igual, que todos pagamos.

—Pues así lo hago.

—No, a quien usted quiere le da más, y a veces si uno no abre la boca 5
lo deja usted sin ensalada. Desde mañana nos trae usted ensaladas individuales.

Cosa rara no se le olvidó, y desde entonces salimos a dos trocitos de
tomate por persona, considerable mejora. Claro que todo el comedor se
enteró, pero yo no era la primera ni la única. Si no, oigamos a la señora 10
gorda y la cretina:

Señora gorda: —Oiga, a las tres menos cuarto me trajo la sopa; son
las tres. ¿Dónde está mi carne?

Cretina: —Pues ya la pedí.

Gorda: —Si ha traído siete desde entonces. 15

Cretina: —Sí, pero eran de otros.

Gorda: —Pero si las han pedido mucho después.

Cretina: —Sí, pero es que tienen prisa.

Gorda: — ¿Prisa de qué?

Cretina: —Pues que se van a tomar la siesta. 20

Oigamos ahora al señor del rincón:

—Oiga, mi vino.

—Ahora.

—Se lo he pedido ya cinco veces.

—Pues por fastidiar tanto se espera, hala.[15] 25

—Pues yo iré por él.

—Además se me olvidó comprarle.

—Mujer, dígalo.

—Uy, es que . . . . .

Y ahora a un sujeto con el sugestivo nombre de Primo: 30

—Venga, venga, lentejas, naranjas, lo que sea.

—Uy, ya llegó el Primo, ¡qué lata! No están aún sus huevos.

—Pues tráigame lo que haya a punto, sopa.

— ¿Sopa? Ahora, ahora se la pediré.

—Tiene ahí una sopera llena. 35

—Sí, pero es para el inglés.

— ¿Para el inglés? Si no ha venido aún.

— ¿Y a usted qué?

---

[15]**Pues . . . hala:** *Well, it's for being so troublesome that (I'm making) you wait there.*

Veamos qué le pasa al estudiante canario:
— ¿Me trae un salero?
— ¿Que no tiene ahí el suyo?
— ¿Si lo tuviera se lo pediría?
5   — ¿Yo qué sé?
— ¿Dónde está el otro de esta mesa?
—Se ha roto.
—Pues deme otro.
—Ay, no sea tan latoso.
10 —Venga, no reniegue,[16] que se enfría.
—Pues que se enfríe, ¡mira que pedir sal!

En la mesa del centro comían unos militares, que tampoco se veían exentos del mal trato de la cretina, aunque ellos eran los que recibían las mejores ensaladas y comían más seguido, mientras los demás huéspedes 15 esperaban entre platos hasta más de un cuarto de hora.

Militar primero: —Oiga, por Dios, que estoy aquí diez minutos y aún no me ha traído nada.

Cretina: —Pues por hablar, menos.

Militar segundo: —No sea mal educada.

20 Cretina: —A usted nadie le mete.

Militar tercero: —Cállese y venga mi carne.

Cretina: —Es que mi tío no me la da.

Militar primero: —Y mi sopa, ¿tampoco se la da? Esa no la tiene que freir.

25 Cretina: —Uy, me van a volver loca. Si es que le pido las cosas a mi tío y no me las quiere dar, porque es un burro y ...

Militar segundo: —Venga, venga, no se excuse con él y andando.

Cretina: —Pero si es que mi tío, fíjese ...

Militar tercero: —No quiero oir ni una palabra más sobre su tío. Nos 30 trae la comida o vamos a la cocina.

El militar primero se coge al timbre, que suena en la cocina, y dice la cretina:

—Ay, hombre, no vale tocar el timbre, que se enfada la tía.

Militar primero, sin soltar: —Pues que se enfade y salga y le diré unas 35 cuantas cosas.

Sale la tía:

—Hombre, suelte, ¿no ve usted que se estropea el timbre?

Militar primero: —Más me estropeo yo de esperar y no comer.

---

[16]**no reniegue**: *don't complain.*

Militar segundo: —Sí, y ustedes tan frescas.

Militar tercero: —Hombre, pongan más servicio, esto es el colmo.

Tía: —Fulana, allí tienes quince segundos y ocho terceros[17] esperando en compañía de tres soperas, y tú aquí hablando. (Al militar) Pero hombre, suelte de una vez. 5

El militar suelta el timbre de mala gana.

Cretina: —Es que todos son unos impertinentes y no me dejan en paz...

Militar segundo: —Ya he hecho la digestión del segundo plato. ¿Y su sopa? 10

Militar cuarto: — Pues, bien, gracias, en los talones; esa no espera. Voy a organizar la operación cocina: hoy poca actividad por las lentejas; ligero avance por las empanadas; lucha sin cuartel[18] por la sopa...

Militar quinto: —Algunos soldados mueren de hambre...

Todo el comedor ríe. 15

Cretina: —¡Ay, mira que son, si así... uy!

Veamos ahora qué quiere el estudiante de la mesa verde:

—Oiga, ahora que se vayan los militares ¿nos pasará a la mesa grande?

—No. ¿Por qué? 20

—Pues para estar con mi compañero y el inglés y practicar.

—En la mesa no se habla.

—Eso no es cuenta suya, y si no se lo diré a su tía.

—Qué, ¿no está bien ahí? ¿Que tampoco le gusta Primo?

—Mire, solo queremos sentarnos juntos para hablar inglés, que lo 25 que es tiempo no nos falta, con lo que hay que esperar entre platos.

—Es que va a volver Juan Manuel.

— ¿Quién es ése?

—Un chico, y hay que sentarlo en alguna parte.

— ¿Y necesita toda la mesa? Por gordo que esté, somos tres, y la mesa 30 es de ocho.

—Bueno, bueno, lo sentaré con ustedes, y si no le gusta, hala, castigado, a la mesa de Primo.

La camarera hija, indefectiblemente, venía a coger unas tazas del aparador cuando había que hacer levantar a dos personas por lo menos 35 para llegar a ellas, o las pedía a los huéspedes. A mí no me lo hubiera hecho.

---

[17]**quince ... terceros**: *fifteen second courses and eight third courses.*
[18]**lucha sin cuartel**: *fight to the finish.*

Además lucía unos pendientes largos y pinzas en el pelo, que Dios sabe
qué esperaría para quitárselas.

A estos caracteres dibujados a grandes rasgos,[19] y que conocíamos a
fuerza de pasar luengas horas en el comedor, hay que añadir una serie de
5 mujeres misteriosas, de cierta edad, que nunca se veían por el comedor,
pero que sabíamos que habitaban allí y solían comer en la habitación.
Hablaban de un matrimonio que eran marqueses venidos a menos.[20] Yo vi
una vez a una señora gorda muy artificial a quien todas las mañanas entra-
ban chocolate, deferencia incongruente.[21] En nuestro pasillo había una
10 puerta que se abría sigilosamente para dar paso al water a una mujer desaliñada, con grandes ojeras y aspecto de ebria que si veía a alguien se reti-
raba apresuradamente; yo, al verla, corría el pestillo[22] instintivamente.

Otra delicia de la mesa era las constantes alusiones de la cretina a un
presunto pretendiente que decía ser conde; divagaba sobre él y los hués-
15 pedes le tomaban el pelo, porque mientras todos esperaban el siguente
plato ella contaba a voleo,[23] sin dirigirse a nadie en particular, que estaba
arruinado, que ella se pagaba su propio metro[24] y que no era tan tonta como
para casarse y seguir trabajando, aunque por ahí decían que ya no era una
niña; que a la noche habría fiambre o sardina, porque había muerto el
20 General Moscardó, etc., todo entre protestas de hambre de los huéspedes,
que tenedor y cuchillo en mano parecían dispuestos a ayudar a los militares en la operación cocina.

Al llegar a la pensión el ascensor estaba entre dos pisos, con el consabido cartelito de "no funciona".[25] El dueño del edificio lo había dis-
25 puesto así porque pretendía que los huéspedes eran los que más lo usaban,
como si fueran siempre los mismos, y que la dueña de la pensión debía pagar más, como si los demás no lo usaran; el caso es que así todo el mundo
se fastidiaba. A pesar de tanta cosa nos alojamos allí, y resistimos tanto
tiempo porque por fuera nunca se sabe lo que hay dentro. El lugar nos
30 convenía y también el precio.

Una vez establecidos allí escuchamos una frase de boca de Don
Aurelio que nos hizo reflexionar; Don Aurelio era soltero y solo en la vida,
empleado del gobierno y satisfecho de estar en un lugar en que sabía que
si le ocurría algo siempre había gente de sobra a su alrededor. Llevaba

---

[19]**a grandes rasgos**: *roughly sketched.*
[20]**venidos a menos**: *formerly wealthy.*
[21]**deferencia incongruente**: *a strange distinction.*
[22]**corría el pestillo**: *shut the bolt.*
[23]**a voleo**: *any old way.*
[24]**se pagaba ... metro**: *paid her own way on the subway.*
[25]**el consabido ... "no funciona"**: *the usual "out of order" sign.*

veintisiete años de vivir allí, y su frase, llena de sabiduría, rezaba: "Cambiar de pensión es como cambiar de dolor".

CUESTIONARIO

1. ¿Cómo era la pensión de Salamanca?
2. ¿Qué tenía de curioso la de Sevilla?
3. ¿Cómo estaba distribuída la pensión de Madrid?
4. ¿Cómo eran los dueños?
5. ¿Y el servicio?
6. ¿Cómo era físicamente la sobrina que servía el comedor?
7. ¿Cómo trataba a los huéspedes?
8. ¿De qué se quejaba la señora gorda?
9. ¿Por qué tenían prisa los otros señores?
10. ¿Por qué no le traían vino al señor del rincón?
11. ¿Qué hacía la sopera llena en otra mesa?
12. ¿Por qué pedía un salero el estudiante canario?
13. ¿Qué hizo el militar primero para que le sirvieran?
14. ¿Por qué se enfadó la tía?
15. ¿Qué había en la cocina esperando que lo sirvieran?
16. ¿Cómo iba a ser la "operación cocina" del militar cuarto?
17. ¿Por qué no querían cambiar al inglés a la mesa grande?
18. ¿Qué detalles de su vida daba la sobrina en el comedor?
19. ¿Qué otros tipos había en la pensión?
20. ¿Cuál es la frase de don Aurelio?

TEMAS

1. Describa su estancia en una pensión, en casa de un amigo o en la residencia de su escuela.
2. Escoja alguno de los huéspedes y díganos por qué estaba en la pensión.
3. Cuéntenos algo sobre los marqueses venidos a menos.
4. Díganos por qué no funciona el ascensor del edificio en que Vd. vive o trabaja.

5. Según lo leído, ¿qué motivos pueden llevar a una persona a hospedarse en una pensión?

6. ¿Cómo nos ha metido la autora en el comedor de esta pensión?

EJERCICIOS

I. Complete las frases siguientes con la palabra o palabras apropiadas.

1. En Sevilla, el _____ de la pensión era valenciano.

2. Las dos alas se _____ por la cocina.

3. Al afeitarse, su _____ cambió por completo.

4. Aquél era el único _____ de tratar con el servicio.

5. Debían tratar a todos igual porque todos _____.

6. Tráigame sopa, carne, lo que _____ a punto.

7. Mientras los demás esperaban, los militares _____ seguido.

8. Hombre, no se cuelgue del timbre, que lo va a _____.

9. El ascensor estaba _____ pisos.

10. Al ver a la señora ebria, yo _____ la puerta.

II. Elija la expresión que completa las frases siguientes.

1. La pensión de Madrid nos (*gustó, impresionó, habló*) más.

2. El dueño llevaba una (*patata, camisa, farola*) a veces sucia.

3. Empezaban a discutir temprano y así los huéspedes no podían (*bañarse, descansar, bailar la jota*).

4. En comida se gastaban (*platos, azules, poco*).

5. A veces la ensalada no (*cosía, llegaba, pintaba*) al comedor.

6. Si toca el timbre, la tía se (*irá, sonreirá, disgustará*).

7. Sólo querían sentarse juntos para (*estudiar, comer, practicar*) inglés.

8. Los otros huéspedes (*acostumbraban, cerraban, cenaban*) en sus habitaciones.

9. La puerta se abría (*estrepitosamente, poco, sin hacer ruido*) y daba paso al water a aquella mujer.

10. Ir de una pensión a otra es como cambiar de (*casa, enfermedad, calcetines*).

III. Basándose en el texto, complete las frases siguientes.

     EJEMPLO: Los límites de la cocinera _____.
                 Los límites de la cocinera <u>no encuadraban mucho terreno.</u>

1. Está muy feo _____.
2. ¡Hombre, suelte _____!
3. Apenas saludaba _____.
4. _____ dejó más profunda huella _____.
5. Se afeitaba de vez en cuando _____.

IV. Trduzca al español las frases siguientes, tomadas casi literalmente del texto.

1. The first boardinghouse left a deeper impression on us.
2. The cook's repertory wasn't very extensive.
3. He shaved once in a while, and by sections.
4. She would barely nod if she passed somebody on the stairway.
5. It's not nice to look at what someone else gets.
6. If the saltshaker were here, would I ask for it?
7. Hey, let go of that buzzer right now!

CUESTIONARIO GENERAL
SOBRE LA OBRA DE CARMEN IRANZO

1. En las narraciones de Carmen Iranzo, ¿predominan las diferencias o las similitudes?
2. ¿De qué medios se vale la autora para colocar en su ambiente a Marta y a la criada de la pensión de Madrid?
3. De las palabras *humor, observación, melancolía,* ¿cuáles se aplican mejor a cada narración?
4. ¿Cómo consigue la autora meter al lector en las situaciones que describe?
5. ¿Son episodios enteros estas narraciones?
6. ¿Ha descubierto Vd. algún elemento de fantasía en estos cuentos?
7. ¿Se ajusta el lenguaje al tema de cada narración, o es homogéneo?
8. ¿Es acertada la definición de su "cuentística" a juzgar por estas tres muestras?

MEDARDO FRAILE

Medardo Fraile nació en Madrid, en 1925. Estudió Filosofía y Letras en dicha capital y en la actualidad enseña español en la Universidad de Southampton, Inglaterra. También vivió en Francia por algún tiempo.

Ha hecho traducciones, estudios sobre el teatro, y ha escrito para él. Además ha colaborado en periódicos y revistas españolas y americanas.

Su colección "Cuentos de verdad" obtuvo el Premio de la Crítica en 1965. De ellos incluimos "La cabezota", "En vilo" y "Punto final".

CUENTISTICA

"No sé lo que es un cuento. Un cuento me parece lo más fino y personal y lo menos manchado que puede hacer un escritor. Quiero decir finura literaria y cuando hablo de manchado me refiero a manchas de conciencia. El cuento es sincero siempre hasta resultar fantástico y descabellado y apura la verdad tanto que resulta pueril. Es esforzado, ya antes de nacer, porque busca al niño en el hombre —por eso muchas veces se pierde—, y tan generoso que solo pretende, a veces, hacer reir a su papá. El cuento no es necesariamente risueño, pero guarda siempre algo de risa, aunque sea dentro de una lágrima. Si no existiera Dios, habría que inventar un dios para los cuentos, porque son creyentes. El cuento —que nos hace meditar con suavidad y nos muestra el mundo como desde una vidriera policromada[1]— camina con soltura[2] por el corazón y la metafísica. La realidad, en el cuento, se sirve de la fantasía para ser real más hondamente. Para decirnos lo que él cree la verdad,[3] miente todo lo posible, como el amor. El cuento es tan sorprendente que hasta puede no ser así. Pero creo de verdad que el escritor que hace un buen cuento, moja su mano en agua bendita y se limpia de pecados veniales." (*Cuentos con algún amor,* 1954)

". . . Estos cuentos habían nacido y habían sido nublados en mí por el otro cuento de la vida. El escritor, al terminar su trabajo, se va a la calle a vivir, como las gentes que pasan, como ustedes. El escritor en 'pose' es un señorón empeñado en dar clase a los demás en vez de recibirla y se entera, por tanto, de pocas cosas. Va desa-

---

[1]**vidriera policromada:** *stained-glass window.*
[2]**camina con soltura:** *walks freely.*
[3]**lo que . . . verdad:** *what he believes to be the truth.*

pareciendo. Pero tal vez la vida, siendo esencial, no basta. Es un cuento seco. Hay una desazón en el hombre que puede ser, simplemente, la búsqueda, siempre fallida y renovada en la vida, del cuento lejano que nos contó la abuela. Volvemos la cabeza con ilusión, aupamos el alma hasta los labios,[4] nos paramos en los escaparates, registramos por dentro a las personas, para acabar preguntando: Abuela, ¿dónde está aquel cuento que nos contaste? Porque no lo vemos, aunque lo sintamos. Las personas todas están propicias a realizar, en común, un cuento. Pero nunca pasa. Si alguien le diera al conmutador,[5] ¡qué cambio tan sencillo y tan profundo! . . ." (*A la luz cambian las cosas,* 1959)

". . . Escribo, supongo, pensando en mí. Pero me absuelve mi capacidad y paciencia desde niño, para observar y escuchar a los demás; mi afán de dar vueltas y ahondar en lo observado y oído. Necesito una confianza de excepción, o una excitación grande, para coger yo la palabra y desentenderme, siempre hasta cierto punto, del prójimo. Si no, escucho, callo, me arrimo, aventuro una palabra, muevo los ojos. Pero me resarzo dándome en mis cuentos con lo vivido, por lo que a veces pienso que no serán sustituídos fácilmente. No hay imitaciones en mí, aunque habrá afinidades e influencias. Me expreso por entero a mi modo y con mis palabras.

"Me gusta la vida . . . La muerte me desazona. Me frena, me espolea, me hace trabajar o vagar. Creo que nunca he iniciado el diálogo con uno de mis modestos personajes sin verle la muerte. Y, entre ellos, me meto, sobre todo, con los que no han pensado en ella o no les afecta. Muchos, quizá, son desasidos, frustrados o las dos cosas. Puede que les venga todo de la única prohibición palpable que nunca leemos: 'Prohibido soñar'. El ala rota, la melancolía, el humor. Vaguedad por vaguedad, aunque yo sé lo que digo, milito en *lo humano* antes que en *lo social*. Me parece más hondo, difícil y ambicioso. Lo humano es lo único que me interesa sin proponérmelo. Es tópico que el hombre es un solitario a ultranza.

---

[4]**aupamos . . . labios:** *we bring our soul up to our lips* (*to examine it*) [**aupar:** to hold up to].
[5]**le diera al conmutador:** *turned on the switch.*

Pero hoy su soledad es terrible. Los empeñados en 'adelantarnos' trabajan, fatalmente, para hacernos más remotos e ininteligibles. El escritor, con sus libros, debe arrimar al hombre compañía, confianza y descreimiento de ciertas cosas que atañen sólo a las primeras planas de los diarios. Creo que eso es, simplemente, lo que hago al escribir. Acompañarme, vosotros, los que ahora estáis aquí como yo; pero también acompañaros, sin discordia, con amor, esperando . . . ." (Revista *El Ciervo*, Junio de 1961)

". . . Siempre han solido ser los cuentos *de mentira* —los infantiles sobre todo— o *historias*. Pero una *historia* merece ser contada por singular. El argumento se intrinca, los personajes trasiegan de lo verosímil —secta de la verdad— a lo sobrehumano, casual o milagroso, las pasiones e ideas son angélicas o demoníacas, que es la otra cara de lo angélico. Y el lector, para descansar, para desvivir la *historia,* pide, necesita un final. Un final cerrado, convincente; una frontera entre la *historia* y su vida. Si algo seguro caracteriza a los cuentos de hoy es su pluralidad, su identidad con el hombre y los hechos de la calle, su aire *corriente*. Digámoslo: su verdad. Sin olvidarnos de que, trascendida, la verdad tiene su expresión máxima en el amor. No quiero decir que todos los cuentos que se escriben hoy con ingredientes verdaderos o con la pretensión de usarlos, sean de verdad. Los hay, por incapacidad o error, más fantásticos —y menos buenos— que muchos de [Edgar] Allan Poe. Los cuentos se acercan hoy, más que a la *historia,* a la confidencia fugaz angustiosa o ilusionada, al *timo* de la entrega,[6] al ser del hombre, al último reducto humano de esperanza o protesta, a la euforia o frustración colectiva, al momento raro, pero real, a la soledad pensante al servicio de todos. No ayudan a soñar, sino a realizar. Puede que, para algunos, tengan mala cabeza. Pero tienen buen corazón. Por eso quizá no acaban del todo; porque no acaban cuando acaba el cuento, sino cuando acaba el hombre. Y siguen, siguen con él hurgándole, acompañándole, hasta que se convierten en una sola palabra que saldrá un buen día o en una gota insignificante, sana, de sangre que recorre el cuerpo. . . ." (*Cuentos de verdad,* 1964)

---

[6] **al timo de la entrega:** *to the illusion of self-surrender* [timo: swindle].

LA CABEZOTA

A las once se daba Geografía. Era una hora remansada, limpia, en que
el sol empezaba a colarse en los ojos[1] de algún niño, inquietándole. Todos
miraban al encerado, tenían su cuaderno abierto sobre la mesa y copiaban
en él el texto y mapa que Benito, el que dibujaba mejor, iba poniendo en
la pizarra con tizas de colores. Color rosa a Turín, verde para Milán, azul a   5
Venecia. Según decía don Luis, la Italia continental. Para ellos, la parte
más alta de la bota de d'Artagnan, Athos, Porthos o Aramis.[2] Benito hacía
bien los mapas, y también las tarjetas de Navidad, pero al escribir el texto
lo torcía un poco hacia arriba.

Esta era la hora en que don Luis, que apenas fumaba, sacaba un ciga-   10
rrillo hecho y, rápido, como si esperara algo en contra, lo encendía y se ponía a echar humo. Se separaba un poco de la mesa, cruzaba las piernas y ya
fumaba despacio, mirando, como si pensara en otra cosa, al encerado, a la
clase o a la ventana. En la clase transcurría todo normalmente. Había un
solo cambio. Un cambio sin importancia que don Luis había autorizado.   15
Bohigas faltaba, y su pupitre, a la izquierda del profesor, en primera fila, estaba vacío. Núñez, que se sentaba atrás, había ocupado el lugar de Bohigas. Nada. Los niños movían sus manos cogiendo y dejando lápices de
colores, gomas de borrar, sacapuntas, restregando un color.[3] Don Luis,
mientras, miraba el terco subir y bajar[4] de una mosca en el cristal soleado de   20
la ventana; al llegar al borde metálico se agitaba confusa, se tiraba de
nuevo revoloteando y repetía la subida calmosamente.

En las últimas filas bullía Cerezo, fuera de su asiento, agachado, Cerezo,
que jamás traía nada, ni cuadernos, ni libros, ni pluma, ni lápices, ni bolígrafo, y volvía por la tarde con las mismas manchas en la cara y las manos   25
que se había echado por la mañana. Don Luis le miró y Cerezo, con aire
sorprendido, como si fuera un "bueno" habitual, volvió a su puesto. Don

---

[1]**el sol . . . ojos**: *the sun started to filter into the eyes.*
[2]**d'Artagnan, Athos, Porthos o Aramis**: fictional heroes (*The Three Musketeers*) whose
  high boots suggest the map of Italy.
[3]**restregando un color**: *rubbing out a color.*
[4]**el terco subir y bajar**: *the stubborn rising and falling.*

Luis continuó mirándole. Y Cerezo disimulaba tontamente, dándose un aire probo y distante.

Benito se acercó a la mesa de don Luis y le preguntó en voz baja si tenía que dibujar el Mont-Blanc. Don Luis dijo que no, que "hoy" sólo
5   las ciudades. La mosca continuaba haciendo su ruido de serpentina. Había paz. De pronto, se oyó la voz de protesta, un poco perezosa, de Bonín:

—Profesor, ¡que Núñez no me deja ver con su cabezota!

Don Luis no dijo nada. Le miró con cierta severidad y, luego, disimu-
10 lando, se fijó en la cabeza de Núñez. Lo malo para Bonín no era, sin duda, la cabeza inocente, voluntariosa,[5] de su compañero. Lo malo iban a ser las otras cabezotas que no le dejarían ver la vida.

Don Luis se levantó y paseó por el centro de la clase. Hay cabezotas desde que somos niños —pensó—, que nos impiden ver el encerado, el
15 desfile, los títeres, la película, la cabalgata de los Reyes Magos.[6] Pero esto sólo es el comienzo. Porque, inmediatamente, aparecen las otras cabezotas, las peligrosas de verdad, las definitivas. No todas son así, es cierto. También hay cabezas. Pero para hallar una de éstas, hay que sufrir, de las otras, quince o veinte. Cabezotas rezumantes de "bon sens".[7] Entrenadas cabe-
20 zotas que topan todos los días, sin cascarse, con cabezas tiernas, ávidas, crédulas, merecedoras de mayor suerte. Don Luis trató de acordarse de las cabezotas que, como bastiones, le habían deformado, retrasado, ocultado la verdad y el mundo. Las cabezotas que, so pretexto de orden,[8] desorden, ciencia o arte, le inculcaron, con indecente aplomo, super-
25 fluidades, galimatías, mentiras, estupideces, digestiones penosas. ¡Los diccionarios de tanta gente ilustre que malredacta una nota de tres líneas y aprovecha la palabra *artesa* para ser pedante![9] Los que llaman al XVIII, en serio, "siglo de las luces", sin llevar la gorra de una compañia de electricidad. Los que espolvorean un texto de notas para citar[10] las Obras de
30 Misericordia, el Catón, el Juanito y el Primer Libro de Higiene. Los críticos becerristas mangoneados y abastecidos por maestros ciruelos y

---

[5] **la cabeza inocente, voluntariosa**: *the innocent, self-willed head.*
[6] **los títeres ... Reyes Magos**: *the puppet shows, the movies, the parade of the Three Wise Men (that takes place on the eve of the Epiphany).*
[7] **Cabezotas rezumantes de "bon sens"**: *Big heads (that were) oozing with "common sense".*
[8] **so pretexto de orden**: *under the pretext of (preserving) order.*
[9] **malredacta ... pedante**: *use a word like* artesa *to show off in a badly written three-line note.*
[10] **espolvorean ... citar**: *clutter up a text with notes in order to quote* [**espolvorear**: to sprinkle].

señoritos asnos.[11] Las cabezotas ¡frívolas!, que también las hay. ¡Tantas cosas! Todo el mundo se empeña en darnos su cabeza, pensó don Luis. Y, muchas veces, es lo peor que tienen. ¡Cuánto mejor sería que viéramos su corazón, su conducta, su cuenta corriente, sus amistades, sus robustos hijos, por ejemplo! ¡Cuánta cabeza energuménica y qué ganas tenía, ahora   5
que ganaba las cinco mil al mes, de hacerles la peseta a todas! Pero él no podía, no debía hacerlo. Era responsable, ejemplar.

Don Luis se calmó. Fué acercándose a Núñez. Le iba a poner una mano apostólica en la cabeza[12] y rectificó; se la puso en un hombro. Inspeccionó, interesado, la marcha del dibujo en su cuaderno. Se fue a la pared del   10
fondo, cruzó los brazos y, observando a Benito, que terminaba ya, rogó a Dios con fervor que todas las cabezotas que encontraran sus alumnos en la vida fueran como la de Núñez: soslayables, simples obstáculos materiales. Y que la cabezota llena de curiosidad, candorosa y fuerte, de Núñez, fuera siempre, volumen aparte, una cabeza.   15

CUESTIONARIO

1. ¿Qué ocurría a las once?
2. ¿Qué era para los niños la parte norte de Italia?
3. ¿Qué diferencia había entre los mapas y el texto de Benito?
4. ¿Qué hacía mientras el maestro?
5. ¿Qué había en la ventana?
6. ¿Qué hacía Cerezo?
7. ¿Cómo era Cerezo?
8. ¿De qué se quejó Bonín?
9. ¿Quién era Núñez?
10. ¿Qué piensa don Luis de la cabeza de Núñez?
11. ¿Cuáles son las cabezotas que en realidad molestan?
12. ¿Qué obras escriben los "cabezotas"?
13. ¿Qué preferiría ver don Luis en lugar de la cabezota de la gente?
14. ¿Por qué no podía "hacerles la peseta"?

---

[11]**Los críticos ... asnos:** *The calflike critics fed and meddled with by ignorant teachers and asinine show-offs.*

[12]**poner ... cabeza:** *pat him on the head (as when a bishop or priest blesses a person).*

15. ¿Qué iba a hacer don Luis cuando se acercó a Núñez?
16. ¿Hizo lo que pensaba?
17. ¿Qué deseaba don Luis a sus alumnos?
18. ¿Cómo era la cabezota de Núñez ahora?
19. ¿Cómo deseaba don Luis que fuera siempre la cabezota de Núñez?
20. ¿Qué quería decir con "volumen aparte"?

TEMAS

1. Describa Vd. la escuela en que ocurre la acción.
2. ¿Cómo es don Luis fuera de clase?
3. Háblenos de Benito, Cerezo y Núñez.
4. ¿Qué obstáculos ha encontrado Vd. parecidos a la cabezota?
5. ¿Hay intento de hacer crítica social en este cuento? ¿Cómo?
6. ¿Cómo logra el maestro dar clase y pensar en las "cabezotas" sin que los niños se den cuenta?

EJERCICIOS

I. Complete las frases siguientes con la palabra o palabras apropiadas.

1. Los rayos del sol se _____ en los ojos.
2. El maestro encendía un _____.
3. El sitio de Bohigas estaba _____.
4. La mosca _____ en la ventana.
5. Cerezo nunca _____ nada.
6. La cabeza de Núñez _____ a uno de los niños.
7. Pero otras _____ serían peores.
8. Don Luis podría _____ pero no lo hacía.
9. Ya _____ buen sueldo.
10. La cabezota de Núñez debía quedarse en _____.

II. Elija la expresión que completa las frases siguientes.

1. A las once don Luis daba (*higos, clase, malo*).
2. En el mapa ponían (*queso, ciudades, sobrinos*).

3. Cerezo era un niño (*sucio, bolígrafo, alemán*).
4. La cabeza de Núñez era (*fea, enorme, cuadrada*).
5. Hay cabezas que no nos (*permiten, gustan, escriben*) ver el desfile.
6. Las cabezotas con (*pelo, poder, amigos*) son las malas.
7. A don Luis le habían (*visto, herido, paseado*) algunas cabezotas.
8. Todo el mundo nos (*peina, impone, lava*) su cabeza.
9. Físicamente la de Núñez no era (*gorda, verde, pequeña*).
10. Don Luis (*rezaba, quería, fumaba*) a sus alumnos.

III. Basándose en el texto, complete las frases siguientes.

    EJEMPLO: _____ que nos impiden ver _____.
                Hay cabezotas que nos impiden ver desde niños.

1. _____ y fue acercándose _____.
2. A las once _____.
3. Todo el mundo _____.
4. Otros espolvorean _____.
5. Qué ganas tenía _____.

IV. Traduzca al español las frases siguientes, tomadas casi literalmente del texto.

1. The geography class was at eleven.
2. There are big heads that won't let us see from the time we are little.
3. Others sprinkle the text with notes.
4. Everybody tries to impose his will on us.
5. How he would like to get back at all of them!
6. Don Luis calmed down and started going toward Núñez.
7. He examined the progress of the drawing in his notebook.

PUNTO FINAL

Don Eloy Millán entró en clase. En el pasillo había notado fresco, y al entrar le envolvió un olor de incubadora.[1] Olía mezclado, suave, dulce, a lápiz, a pis añejo e inocente,[2] a jabón seco en el pebetero de las orejas.[3] Se levantaron los niños. Don Eloy Millán se fue derecho a su mesa sin
5 mirarlos.

—Buenos días, don Eloy.

—Buenos días, señor Millán.

A diario se lo repartían así. Unos se quedaban con el señor Millán; otros, con don Eloy.

10 —Bueno; vamos a ver. ¡Sentaos!

Irremediablemente le violentaba decir sentaos, en lugar de sentaros, pero no quería colisiones con el texto.[4] En clase, él debía poner su lengua dentro de la ley,[5] sobre todo para evitar a los niños confusiones, líos. Debía ser luz, por lo menos durante esa hora. Cuando hablara, su obligacion más
15 importante era ser ejemplario de leyes gramaticales, un cronómetro empecinado, infalible.[6]

Los niños se sentaron. Dos se adelantaron a su mesa. Era inevitable que todos los días se acercara alguno, aunque generalmente sin motivo. Uno le mostró impertérrito, mudo, un cuaderno abierto. Don Eloy le
20 miró. En efecto. En la clase anterior le había dicho: "Mañana, el cuaderno aquí".

—¡Silencio! —pidió, mirando a todos severamente.

Cierto; los ejercicios de ese cuaderno estaban hechos. Sacó su cuadernillo de notas y le puso algo al niño.[7]

25 —Vete a tu sitio. Y tú, ¿qué quieres?

---

[1] **un olor de incubadora:** *a smell like that of an incubator.*
[2] **pis añejo e inocente:** *childlike dried piss.*
[3] **el pebetero de las orejas:** *the incense pot of their ears.*
[4] **le violentaba ... con el texto:** *it went against the grain to say* sentaos *instead of* sentaros, *but he didn't want to go against the text.*
[5] **debía ... de la ley:** *should conform to the grammatical rules.*
[6] **un cronómetro empecinado, infalible:** *a stubborn, infallible chronometer.*
[7] **le puso algo al niño:** *he gave the child a grade.*

El que esperaba se acercó sigiloso. Era muy fino, de una finura en extremo lozana, repentina, feliz.[8] Le dijo confidencial, rozándole casi la oreja:

—Buenos días, don Eloy.

"Ah, bueno. Se trata de un saludo particularísimo —pensó—. Bueno; bien."

—Hoy es viernes y toca dictado.[9] Ya deberían estar los cuadernos sobre la mesa —dijo.

Se oyó un remolino de hojas. El profesor buscó, fruncido el entrecejo, minuciosamente, dentro de su cartera. No. Los "Dictados Pedagógicos"[10] no estaban allí. Se los había dejado en casa. Meditó. Adelantó los labios, mordiéndose por dentro el labio inferior. ¿Qué podría dictarles?

—¡Silencio! —dijo al oir un murmullo automáticamente, alzando la voz.

—Vamos a ver si encuentro yo . . .

Tenía en la cartera toda clase de papeles. El libro de cuarto,[11] que no servía para este curso. Un periódico viejo. "No; del periódico, no", negó resueltamente, como defendiendo a los niños de algo. De pronto se acordó. Llevaba varios días sobre aquella carta. Algunos párrafos estaban bien, le habían salido bien. ¿Por qué no? Azorín, Pereda, Bécquer, Leandro Fernández de Moratín, Juan Ramón, Palacio Valdés, Benavente, Rubén Darío, Perrault, Pérez Galdós . . .[12] Y Eloy Millán también. ¿Por qué no? ¿No había él publicado más de un artículo hacía ya algunos años allá en su rincón, que contaba ya entonces más de ochenta mil habitantes? Sí. También él. Se pondría a dictar como si tal cosa[13] aquel fragmento de su carta, y los niños supondrían que se trataba de una prueba especial ideada para ellos expresamente, quizá sacada de algún libro, o bien que era una cosa inventada, una "mentira" de cualquier libro de literatura.

—A ver; Martínez Lago, sal aquí. Tú escribes en el encerado, como hacemos siempre, lo que yo dicte. Los demás sin levantar la cabeza, escriben en su cuaderno. Que no vea yo a nadie mirando a la pizarra. Cada cual a lo suyo.

Buscó en los folios de la carta el párrafo que dictaría.

---

[8]**una finura . . . feliz**: *a delicacy which was extremely sprightly, unpredictable, happy.*
[9]**y toca dictado**: *and it's the day for dictation.*
[10]**"Dictados Pedagógicos"**: title of the text book used for dictation exercises.
[11]**El libro de cuarto**: *The fourth-grade book.*
[12]**Azorín . . . Pérez Galdós**: a catalogue of leading writers of the late nineteenth and early twentieth centuries, which gives us a quick clue as to the teacher's own reading habits.
[13]**como si tal cosa**: *without giving it special importance.*

—¿Cómo se titula? —preguntó un niño.

Don Eloy vaciló.

—Nada. No se titula nada. Dictado . . . Empezamos . . .

—¡Espere! —dijo un gorgorito angustiado de voz.[14]

5 —¿Qué pasa ahora?

—Nada profesor. No encuentro el bolígrafo. ¿Se puede hacer a lápiz?

—Vamos . . . Comienzo a dictar . . .

Se puso en pie. Miró al ventanal un momento, y con voz pausada, clara, sonora, dictó el párrafo siguiente:

10 "Ahora no es lo mismo. Los chopos aquellos tenían la torre de la catedral al fondo, los sitiadores vencejos del atardecer,[15] y más allá los montes y esos colores puros que el sol levanta en el campo. Si pudiera escoger un árbol para estar alegre como hacen los pájaros, tú sabes que elegiría el chopo. Aunque fuera el que miro desde mi ventana en el jardín desahuciado,
15 en el solar que pronto van a llenar de ladrillos. Ellos nos dieron una franja de sombra[16] cada tarde, y el parloteo incesante de sus hojas[17] te hizo soltar aquello que no tuve valor de meditar hasta pasado mucho tiempo. Hasta hace bien poco. ¿Te acuerdas?"

—Punto final.

20 Se removió la clase. Algunos niños soplaban, movían la muñeca o sacudían la mano derecha con aspavientos de cansancio.[18] Sobre todo lo hacían cuando el dictado rebasaba, aunque fuera poco, la medida acostumbrada. Así jugaban al "exceso de trabajo", al "agotamiento".

—Vamos a corregir.

25 Martínez Lago había puesto sin acento *pájaros* y *tú; sombra,* con *n,* y se "había comido"[19] la palabra *jardín.*

—Ese *tú* lleva acento . . .

Don Eloy, leyendo, subrayó con énfasis:

—". . . Tú sabes que elegiría el chopo . . ."

30 Se quedó abstraído unos momentos. Su corazón, inútilmente, acentuaba el aire: tic-tac, tic-tac . . .

—¡Señor profesor! ¡Señor profesor! —insistía machacona una vocecilla en la última fila—. Dice ese niño que después de *coma* se puede poner mayúscula.

---

[14]**un gorgorito . . . voz:** *an anguished quiver of a voice.*

[15]**los sitiadores . . . atardecer:** *the besieging (flights of) swifts at sundown.*

[16]**una franja de sombra:** *a strip of shade.*

[17]**el parloteo . . . hojas:** *the constant murmuring of their leaves.*

[18]**aspavientos de cansancio:** *demonstrations of fatigue.*

[19]**se "había comido":** *had left out.*

—Ese *tú* es pronombre personal ... Por eso lleva acento ... Siéntate ...

Don Eloy Millán se sentó. En la clase se fue alzando un guirigay impersonal, nutrido.[20] Miró arriba por el ventanal. Había nubes compungidas,[21] altas, continuadas, oscuras a lo lejos. Una luz ceniza ponía   5 cardenales cambiantes a las cosas,[22] amenazaba con una ley mesiánica de aburrimiento,[23] de soledad, con horas indefensas interminables, húmedas, tronadoras, monótonas, que enmarcaran el quehacer diario de tristeza.[24] Un día de bombillas prematuras,[25] para que el vestíbulo se llenase de madres alarmadas, con su parloteo, los paraguas y los impermeables. Un día co-   10 mo una inexplicable, inmensa humareda que enrojeciera de soledad los ojos.[26]

— ¿Habéis corregido ya ...? ¿Todos ...?

—Sí, señor.

—No, aún no ... Espere un momento ... ¡Ya!   15

—Señor profesor, ¿borro?

—¡No!

Se sintió arrollado, invadido. "!Señor, qué falta de reposo! ¡Qué manía insaciable de agitación, de prisa! Querían pasar a otra cosa, les estorbaban ya aquellas palabras viejas que hacía un instante eran desconocidas para   20 ellos y hasta respetables, lejanas, con su posible, agazapada, trampa ortográfica. Querían borrarlas, borrarme —pensó—, echar al suelo el tierno, untuoso resplandor blanco de esas palabras,[27] reducirlas a polvo, aventarlas como un montón de células resecas[28] que les estorbase para crecer, como el vaho de un cristal que les impidiera ver el camino, como a un viejo caballo   25 tirado en la carrera[29] sin freno, porque había que escribir y llegar lejos, y borrar y escribir de nuevo, y crecer y borrar, y escribir otra vez y ser hombres. Y él, ¿dónde? ¿Debajo de qué frío montón de verbos, adverbios, adjetivos, nombres, preposiciones que fueron ...?"

---

[20]**un guirigay impersonal, nutrido**: *an impersonal, abounding gibberish.*
[21]**Había nubes compungidas**: *There were remorseful (looking) clouds.*
[22]**Una luz ... cosas**: *An ash-colored light gave red and gray colors intermittently to everything.*
[23]**amenazaba ... aburrimiento**: *threatened with a messianic law of boredom.*
[24]**enmarcaran ... de tristeza**: *frame the daily routine with sadness.*
[25]**Un día ... prematuras**: *A day when the lights had to be turned on early* [**bombillas**: light bulbs].
[26]**inmensa ... ojos**: *an immense cloud of smoke that reddens the eyes with loneliness.*
[27]**el tierno ... palabras**: *the tender, white, unctuous brilliance of those words.*
[28]**aventarlas ... resecas**: *to drive them away like a bunch of dry cells* [**aventar**: to give to the wind].
[29]**tirado en la carrera**: *forced into the race.*

— ¿Borro yo?

—¡No! ¡He dicho que no!

Defendía sus palabras ahora como un acorralado.[30] Pidió silencio. Los niños olfateaban ya la hora de salir. La proximidad les inquietaba. Miraban
5 las ventanas, a los que estaban atrás, los abrigos colgados en las perchas . . . Don Eloy Millán era bueno. Estaba distraído. Tal vez le dolía la cabeza o estaba cansado. Vieron un resplandor y oyeron a lo lejos un trueno. Los niños miraron las nubes un instante, un poquito pálidos, un poco alborotados, como si vieran acercarse una majestuosa carabela, silenciosa, mortí-
10 fera.[31] Les puso a hacer un ejercicio del libro. Preguntó a Cubero la última lección. Se paseaba por el centro, entre las mesas. Miraba desde el fondo sus palabras escritas en el encerado, sus palabras "suyas". Las nubes ahora iban rítmicas, robadas, de prisa, hacia otros lugares del mundo.

—Señor Millán, ¿borro?

15 — ¿Borro yo, don Eloy?

Sonó el timbre. Los niños se levantaron, sacando con estrépito[32] las carteras, los libros; arrastrando sillas, mesas; tirando abrigos, llamándose unos a otros. Uno se lanzó al borrador y limpió tenazmente, de arriba abajo, de izquierda a derecha, con posturillas desorbitadas, felinas, con-
20 tundentes,[33] todo el encerado.

Don Eloy Millán recogió en su mesa despacio su cartera y su abrigo.

—¡Adiós, profesor!

—¡Hasta mañana, don Eloy!

—¡Adiós, señor Millán! ¡Hasta mañana!

25 Se quedó solo, poniéndose los guantes. Pensó: "Ni siquiera me han borrado despacio". Miraba la pizarra negra, rectangular, como un hueco preciso, hondo, oscuro. La pizarra en silencio. El estaba escrito en ella y ahora borrado. ¡Y con aquel encono, tan aprisa! Notó que el corazón se le nublaba. " ¿Cuántos —pensó— habrá como yo ahora, detrás de ella, olvi-
30 dados, perdidos, borrados para siempre como si tal cosa?"

Se quedó un buen rato frente a la pizarra, buscando con angustia una brizna de palabra suya,[34] media palabra, nada, un rabito, el punto de una i;[35] buscándose, buscando espantado en el rectángulo negro.

---

[30]**como un acorralado**: *like a frightened man* [**acorralado**: cornered].
[31]**una majestuosa ... mortífera**: *a majestic ship, silent, deadly.*
[32]**sacando con estrépito**: *noisily taking out.*
[33]**con posturillas ... contundentes**: *with twisting, feline, forcible postures.*
[34]**una brizna de palabra suya**: *a fragment of one of his words.*
[35]**un rabito ... una i**: *a tail (of a letter), the dot over an i.*

CUESTIONARIO

1. ¿Qué era don Eloy Millán?
2. ¿Cómo le llamaban sus discípulos?
3. ¿Qué asignatura les enseñaba?
4. ¿Qué pensaba don Eloy de la gramática?
5. ¿A qué se acercó el primer niño?
6. ¿Y el segundo?
7. ¿Estaba preparado don Eloy para aquella parte de la clase?
8. ¿Qué resolvió hacer?
9. ¿A qué escritores había utilizado antes?
10. ¿Cuál sería la reacción de los niños según él?
11. ¿Cómo solían hacer el dictado?
12. ¿Por qué no tenía título el dictado de ese día?
13. ¿Qué impidió que don Eloy empezara en seguida?
14. ¿Sobre qué era el dictado?
15. ¿Qué hicieron los niños al terminar de escribir?
16. ¿Qué decepcionó mucho a don Eloy?
17. ¿Cómo estaba el cielo?
18. ¿Por qué no quería el señor Millán que borrasen el encerado?
19. ¿Qué significaba para él ver sus propias palabras allí?
20. ¿De qué se dio cuenta por primera vez, respecto a su carrera?

TEMAS

1. Describa a un professor de gramática que Vd. haya tenido.
2. Describa un día de lluvia en la escuela.
3. Cuéntenos qué impresión le ha producido a don Eloy ver que los niños no apreciaron sus palabras.
4. ¿Puede Vd. relatarnos una experiencia semejante?
5. ¿Como hubieran reaccionado los niños al saber que el dictado era obra de don Eloy?
6. ¿Ha visto Vd. despreciado algo que le ha costado mucho esfuerzo hacer?

EJERCICIOS

I. Complete las frases siguientes con la palabra o palabras apropiadas.

1. Don Eloy no _____ a los niños al entrar.
2. En clase el profesor tenía que hablar _____.
3. Tenía en la cartera muchos _____.
4. Les dictaría _____ suyo.
5. Martínez escribió el dictado en _____.
6. El cielo amenazaba _____.
7. A don Eloy le _____ que quisieran borrar el dictado.
8. La hora de salir se _____.
9. El señor Millán se _____ solo.
10. Miró el encerado _____ restos de sus palabras.

II. Elija la expresión que completa las frases siguientes.

1. En el pasillo hacía (*lápiz, frío, rosas*).
2. Era viernes y tocaba (*pescado, escribir, la flauta*).
3. Los libros que (*estudiaba, llevaba, leía*) no eran para aquel curso.
4. Les dictó algo (*hecho, escrito, cuadrado*) por él.
5. Al terminar el dictado los niños (*pedían, fingían, tomaban*) cansancio.
6. La tarde era (*buena, tormentosa, pálida*).
7. Don Eloy creyó que querían (*matar, pintar, destruir*) las palabras porque eran suyas.
8. A punto de salir los niños estaban (*contentos, rubios, inquietos*).
9. Borraron la (*carta, pizarra, ventana*) sin que don Eloy pudiera evitarlo.
10. Le invadió una gran (*alegría, pesadumbre, orgía*).

III. Basándose en el texto, complete las frases siguientes.

    EJEMPLO: _____ había notado fresco.
                En el pasillo había notado fresco.

1. ¡Que no vea yo _____!
2. Tal vez le dolía _____.
3. _____ movían la muñeca _____.
4. Tenía en la cartera _____.
5. _____ se acordó _____.

IV. Traduzca al español las frases siguientes, tomadas casi literalmente del texto.

1. He had noticed it was cool when he was in the hall.
2. Two boys came toward his desk.
3. He had all kinds of papers in his briefcase.
4. Suddenly, he remembered that letter.
5. Don't let me catch anyone looking at the blackboard!
6. Some of them shook their wrists as a gesture of fatigue.
7. Maybe he had a headache, or he was tired.

EN VILO

Pascualín Porres vino al mundo, llegó a 1,60 de estatura[1] y creyó, hasta su muerte, que estaba entre personas.[2] Como en el medio en que vivió la única persona era él, le utilizaron todos los días, de forma que Pascualín tuvo siempre trabajo, nunca dinero, usó corbata, tuvo mocasines, gemelos, sombrerito, pañuelos finos y agua de colonia. Nunca logró ir del todo bien vestido, ni del todo limpio; nunca paralizó billetes grandes[3] ni fue más lejos de Logroño. No se casó. Paseó con amiguitas, pero no riñó con ninguna lo bastante para fundar un hogar. Se enfurrunchaba con ellas,[4] dos, tres veces, y no volvía. Muchos se habían casado en las condiciones de él, pero dando a los demás la lata:[5] el Banco adelantaba lo del piso, el padrino pagaba la iglesia, el viaje a Mallorca el Sindicato, el traje de la novia la madrina, los suegros el comedor, los amigos la cama, los conocidos la batería de cocina[6] y aún quedaban en reserva parientes para pagar la cuna y el tocólogo. Demasiado impudor, descaro penoso[7] —pensaba Pascualín— para acostarse con una mujer, aunque fuera para toda la vida, que era —decían— la forma de acostarse menos. Había que aguantarse y dormir solo. Lo contrario era forzar el débito conyugal, rugir como una fiera sobre cabezas humanas.[8] Pascualín Porres no rebuznó como el asno, ni se llevó la gallina como la zorra, ni acaparó joyas como la urraca, ni mató corderos como el lobo, ni se rio con mala uva como la hiena[9] ni tuvo que huir nunca como la liebre, ni despertó a nadie como el gallo, ni se burló como el mono, ni degolló con cara de bueno[10] como el oso. Se esforzó a diario para no dar la nota discordante en un mundo de personas que habían escrito libros exponiendo su historia y su filosofía. Un mundo que había llegado dura, penosamente

---

[1]**llegó a 1, 60 de estatura:** *grew to 5'4".*
[2]**que estaba entre personas:** *that he was among real human beings.*
[3]**nunca paralizó billetes grandes:** *he never hoarded any big bills.*
[4]**Se enfurrunchaba con ellas:** *He got angry at them.*
[5]**dando . . . la lata:** *annoying the rest.*
[6]**la batería de cocina:** *the kitchen utensils.*
[7]**Demasiado . . . penoso:** *Too much immodesty, distressing effrontery.*
[8]**forzar . . . humanas:** *to force the conjugal duty, roar like a beast over the heads of people.*
[9]**se rio . . . la hiena:** *laughed hideously like a hyena* [**mala uva:** ill will].
[10]**ni degolló . . . bueno:** *nor did he harm anyone while wearing an innocent look.*

a usar papel higiénico, a ponerse gafas, a almidonar los cuellos, a colgarse cintas,[11] a cortarse y arregalarse el pelo, a distinguir el membrillo de la manzana, a legislar la injusticia, a decir con soltura *realmente, no obstante, así pues, tanto monta,*[12] *si tenemos en cuenta.* Pascualín Porres dio su corazón siempre con naturalidad, como una fruta propicia a todo el mundo, como algo   5
que no era suyo del todo, como no es suyo del todo el corazón del pájaro. Y vivió su vida en vilo, echando raicillas aquí y allá,[13] raicillas cosquilleantes, dulces, incapaces de abrir una grieta, de arañar a nadie. Raicillas como un pincelito para pintar bigotes, inocentes, frescas, a las que una lombriz descuidada podría tronchar.[14]   10

Pascualín Porres preguntaba a los demás siempre si estaban de acuerdo con sus gustos, su actitud, sus tendencias, sus palabras. Cuando cogía la gripe y le iba alguien a ver hacía más leve su respiración, estornudaba o tosía hacia la pared, inducía a la visita a marcharse pronto, a no contagiarse, a que, por él, no perdiera el tiempo. En el autobús se ponía rápido junto   15
al conductor[15] para no obstaculizar el paso a los que venían detrás. Los pocos libros que tenía, modosamente forrados, los había leído todo el mundo y cada día le quedaban menos. El poco dinero que ganaba era de todos, aunque tuviera que quedarse en casa o pasearse casi todo el mes. Pascualín sólo tenía dos vicios importantes: las películas, que le hacían sen-   20
tirse Quijote con Gary Cooper, barbián con Burt Lancaster, tímido elegante con Anthony Perkins, galanteador con David Niven, fiera con James Dean, feminoide morboso[16] con Elvis Presley. Las películas y los escaparates —sólo el escaparate— de las librerías y papelerías. Un cortaplumas de hueso,[17] una caja de lápices de colores, una enciclopedia o un   25
cuento bien editados, un rosario de pétalos de rosa, un libro con buena faja,[18] le fascinaban sin saber por qué. Proyectaba su compra y nunca la hacía. Pascualín apoyaba su charla en frases así: "He pensado ... Claro, si no os parece mal ..."; "Oye, ¿no te importaría ...?"; "Pasa, pasa tú ..."; "Deja: llevo suelto ..."; "Lo que yo quise decir ..."; "Perdón, me he   30
retrasado porque ..."; "Si no os parece bien, lo decís ..." Rectificaba, rectificaba siempre de buen grado, aunque le violentase, aunque otra le

---

[11]**a colgarse cintas**: *to show off.*
[12]**tanto monta**: *it's all the same one way or another.*
[13]**vivió ... y allá**: *he lived his life insecurely, putting down roots here and there.*
[14]**una lombriz ... tronchar**: *a careless earthworm could cut off.*
[15]**se ponía ... conductor**: *he quickly stood close to the driver* (one boards the bus from the rear in Spain).
[16]**feminoide morboso**: *morbid, effeminate (man).*
[17]**Un cortaplumas de hueso**: *A bone-handled penknife.*
[18]**un libro ... faja**: *a book with an interesting cover.*

quedara dentro, porque no quería molestar, no quería dañar, sino, al contrario, andar en vilo, de puntillas,[19] delicadamente, por este mundo de rosas, este gran mundo civilizado, lleno de personas.

Pero los compañeros, los amigos, los parientes, las personas que, al
5 principio, le habían dicho lo que les parecía bien o mal, mirándole, desde luego, como a un ser absurdo, acabaron equivocándole para reírse.[20] Consiguieron que llevara corbatas verdes con trajes azul marino, le citaron de madrugada y no fueron, le hicieron perderse películas buenas, escurrieron el bulto[21] cuando les pidió algo, murmuraron y se burlaron de él a sus
10 espaldas porque se emperraba en algo humanamente imposible:[22] que hablaran de él con mesura, que tuvieran en cuenta su generosidad, su entrega, que por lo menos uno de ellos fuera lo que él creía que eran todos: persona.

En sus últimos años, se le destiñó la ilusión[23] a Pascualín Porres. Con
15 tra lo que pensaba su corazón y sentía su cabeza, los fuegos fatuos de la burla[24] le asaltaban con excesiva frecuencia cuando no quería verlos, que era siempre. Murió pronto, porque él sabía que una visita larga molesta, que hay que estar sólo el tiempo justo. Su estancia entre los vivos fue una visita muy correcta. Antes de morir, miró con apuro las dos o tres caras
20 conocidas que había en su cuarto. Les dijo: "Por favor, si notáis que me muero, avisadme". Los otros se miraron pensando: "Este es idiota, no cambia". Y no dijeron nada. Porque esta vez les parecía demasiado revelarle lo que el médico había dicho, o lo contrario: mentirle. Se callaron mirándole con desprecio y conmiseración. ¡Pobre Pascualín Porres! ¿Qué
25 querría hacer cuando le avisaran? ¿Cerrar sus ojos para no molestar luego a las personas; cruzar sus sensibles, consumidas manos; ponerse el pantalón de la mortaja;[25] echarse agua de colonia; juntar bien las piernas? ¡Con lo que luego gozaron haciéndoselo ellos!

El coche mortuorio, con Pascualín dentro, pasó deprisa, desentendido,
30 ante el cine que él frecuentaba, ante el renovado escaparate de la Papelería-Librería-Objetos de Escritorio donde tantas veces se paró Pascual. Ahora, de haber podido, habría visto un libro con una faja que decía casi

---

[19]andar . . . puntillas: *walk lightly, on tiptoe* [en vilo: suspended in mid-air].
[20]equivocándole para reírse: *mixing him up in order to laugh (at him)*.
[21]escurrieron el bulto: *they sneaked away* [escurrir: to slither away].
[22]se emperraba . . . imposible: *he persisted in (asking) something that was humanly impossible.*
[23]se le destiñó la ilusión: *the illusion faded away.*
[24]los fuegos fatuos de la burla: *the will-o'-the-wisp of mockery.*
[25]el pantalón de la mortaja: *the pants of his burial suit (shroud).*

a media voz: "La fuerza del vampiro reside en el hecho de que nadie cree en su existencia".

CUESTIONARIO

1. ¿Qué le ocurrió a Pascualín por ser "persona"?
2. ¿De qué cosas no gozó?
3. ¿Viajó mucho Pascualín?
4. ¿Cómo es que no se casó?
5. ¿Cómo se casaban otros individuos en sus mismas condiciones económicas?
6. ¿Qué quiere decir que no rebuznó como el asno ni acaparó joyas como la urraca?
7. ¿En qué se esforzó diariamente Pascualín?
8. ¿A qué había llegado el mundo penosamente?
9. ¿Cómo era, pues, vivir en vilo?
10. ¿En qué se refleja lo considerado que era con los demás?
11. ¿Qué vicios tenía?
12. ¿En qué se distinguía su modo de hablar?
13. ¿Cómo le trataban sus parientes y amigos?
14. ¿De qué se dio cuenta, por fin, Pascualín?
15. ¿Cuánto duró la vida de Pascualín?
16. ¿Qué pidió a los que le rodeaban cuando iba a morir?
17. ¿Qué pensaron los otros al oir su ruego?
18. ¿Por dónde pasó el coche mortuorio?
19. ¿Qué hubiera visto Pascualín en la librería?
20. ¿Qué relación existe entre el vampiro y las personas según las veía Pascualín?

TEMAS

1. Describa un día en la vida de Pascualín.
2. Cuéntenos un episodio que le haya hecho sentirse como Pascualín.
3. Hable sobre el héroe de alguna película, novela, etc., en quien Vd. se ve como si fuera el protagonista.

4. Describa alguna persona que le recuerde a Vd. a Pascualín.
5. ¿Cómo crea el autor un personaje cuya vida pasa totalmente desapercibida para los demás?
6. ¿Que opina Vd. de personas como el protagonista?

EJERCICIOS

I. Complete las frases siguientes con la palabra o palabras apropiadas.

1. Pascualín creía que estaba _____ personas.
2. No se casó porque dejaba a las chicas muy _____.
3. Procuraba no _____ a nadie.
4. Quería encajar bien en el _____ moderno.
5. Trataba _____ a todos.
6. No _____ raíces firmes.
7. Vacilaba en _____ los actos de su vida.
8. Le gustaba ir al _____.
9. Sus amigos no _____ ese nombre.
10. La vida de Pascualín fue muy _____.

II. Elija la expresión que completa las frases siguientes.

1. Los demás se (*reían, aprovechaban, lavaban*) de Pascualín.
2. Pascualín nunca gozó de gran (*zapato, fortuna, cuadro*).
3. Muchos se casaban (*con, debiendo, haciendo*) dinero.
4. Pascualín nunca (*comió, hizo, saltó*) nada malo.
5. Vivía los personajes en el (*patio, cine, mercado*).
6. Pedía a todos su (*cartera, opinión, lápiz*).
7. Quería que los que le rodeaban se (*fueran, portaran, hablaran*) bien con él.
8. Durante su vida, Pascualín nunca (*vio, escribió, molestó*) a nadie.
9. Pascualín vivió (*demasiados, azules, pocos*) años.
10. En los últimos años Pascualín (*notó, pintó, decidió*) que se le burlaban.

III. Basándose en el texto, complete las frases siguientes.

      ejemplo: El coche fúnebre pasó _____.
             El coche fúnebre pasó <u>ante el cine que frecuentaba</u>.

1. Se callaron _____.

2. Nadie cree _____.
3. —————— aunque tuviera que quedarse en casa _____.
4. Se esforzó a _____.
5. Nunca logró _____.

IV. Traduzca al español las frases siguientes, tomadas casi literalmente del texto.

1. He never managed to be well dressed.
2. He constantly tried not to be obvious.
3. His money was at the service of everyone, even if he had to stay home on Sundays.
4. They kept quiet, looking at him scornfully.
5. The funeral car went by the movie theatre he used to attend.
6. That was the bookstore where Pascualín had stopped so many times.
7. Nobody believes in the existence of vampires.

EL GALLO

El gallo era blanco y llegó a la casa en silencio, como si no le hubiesen desligado de nada, bajo el brazo fornido de doña María.[1] Como no hacía ruido —a otros se les oía por el patio—, doña María me lo enseñó. Si no lo hubiera visto, aquellos días no me habrían parecido apenas de Navidad.

5 Yo estaba entonces en mi cuarto, tumbado sobre la cama. Había dejado en penumbra la habitación[2] para que la luz del mediodía no me obligara a ver las cosas demasiado claras. Doña María entró:

—¡Eh, Pedro! ¿Qué le parece el gallo de este año?

—Está bien —dije sin mirar casi.

10 Doña María se fue. Suponía por qué estaba así. Hacía ya tres días que no sonaba el teléfono a las dos. Unas veces se ponía ella, otras Aurora, la criada, y otras yo. Doña María sabía que la voz de ella, la que me llamaba, era extranjera. A doña María —como a mí—, le gustaba su voz, pero tenía además la impresión —porque nunca en su vida había salido de la cocina,

15 de ir a la compra y de hacer las camas— de que su piso cobraba más importancia con las palabras aquellas como de niña, graciosas y difíciles.

—En el extranjero es otra cosa —solía decir.

—Y usted, Pedro, lo que debería hacer era casarse y largarse por ahí y hacer fortuna.

20 Doña María no sabía que ella, la que me llamaba, había empezado siendo turista, que le había gustado el país y se había quedado aquí. Para doña María era la fortuna como un bono que daban en la frontera.[3]

Cuando salió rozó la puerta con la cola tiesa del gallo. Yo seguí con la cabeza a vueltas. Era lástima que todo acabase ahora, en Navidad. Cuan-

25 do las calles se impregnan del vaho cariñoso de la mula y el buey.[4] Cuando las parejas se anillan la cintura[5] y se brinda con amor en todos los idiomas: prosit, skol, to your health, à vôtre santé, salud . . . Pero yo por lo visto era

---

[1]**bajo . . . María:** *under the husky arm of doña María.*

[2]**Había . . . habitación:** *I had kept the room in shadows.*

[3]**era . . . la frontera:** *fortune was like a bond that was given when one crossed the border.*

[4]**se impregnan . . . el buey:** *the streets are filled with the kindly vapor of the mule and the ox.*

[5]**se anillan la cintura:** *put their arms around each other's waists.*

un pasional. En mis broncas se encontraban palabras de Istolacio e Indortes, de Indíbil y Mandonio, la furia de la bicha de Balazote y el empuje terco de ese carromato enjoyado, la Dama de Elche.[6] Uno, con estas dotes, hace saltar en pedazos de desilusión la porcelana más fina de Europa. A doña María le he cantado las cuarenta[7] dos o tres veces. Ya me conoce. 5
Por eso también sabe que no soy malo. A doña María le gustaría que yo me casara. A mí quizá también.

Le daba vueltas a la cabeza cuando pensé lo del gallo. Había en la casa un absoluto silencio. Mejor dicho: una asombrosa normalidad de ruidos. Aurora canturreaba, adormilada y monótona, la canción que se trajo, pe- 10
gada como una mosca,[8] del pueblo. Su última canción de adolescente:

Cinco sentidos tenemos
los cinco necesitamos,
y los cinco los perdemos
cuando nos . . . enamoramos . . . 15

En el *nos* daba siempre un extático respingo[9] como si echase al aire una tortilla francesa y esperase su caída para seguir cantando. De doña María se oían los suaves gemidos de su gordura[10] mezclados con golpecillos y roces de cacharros y astillas. Y el gallo era como si no existiese. Pensé que el bicho estaría asustado o que, tal vez, doña María le habría puesto en el 20
suelo granos en abundancia y agua.

A eso de la una y media la vecina llamó y le dio a doña María una tarjeta para mí. Me la enviaban de casa. Me felicitaban mis primos y mis tíos con una fotografía nocturna de Hamburgo, "metrópoli mundial", según ponían. Habían estado pensando todo el año en este golpe reticente de 25
efecto.[11] Era lo que se llama una indirecta. La idea partiría, seguro, de mi prima Lola, que pensaba que iba a atraparme. Allá ella.[12] En fin, dí las gracias. No se me occurrió nada más.

—¡Doña María! —llamé.

Vino extrañada secándose las manos en el delantal. 30

— ¿Malas noticias?

—¡No, qué va! ¿Qué pasa con el gallo?

---

[6]**la furia . . . Dama de Elche**: *the fury of the beast of Balazote and the stubborn push of that jeweled cart, the Dama de Elche.*
[7]**le he . . . cuarenta**: *I've told her off.*
[8]**pegada como una mosca**: *stuck to her like a fly.*
[9]**un extático respingo**: *an ecstatic jerk.*
[10]**los suaves . . . gordura**: *the soft sighs (produced by) her fleshiness.*
[11]**este golpe . . . efecto**: *in this reticent, show-off blow.*
[12]**Allá ella**: *That's her business.*

124 MEDARDO FRAILE

—Hace ya un rato que lo maté.

— ¿No ha chillado?[13] —pregunté sorprendido y algo inquieto.

—Ni se ha movido el pobre.

Sentí un extraño malestar. Las dos —la hora en que esperaba todos los
5 días su llamada— iban a ser dentro de poco. Podía oir los segundos en el
reloj de mi muñeca y el corazón se puso a su compás. Hoy tampoco llamará,
pensé. ¡Seguro! Y el gallo aquel había muerto ya en la cocina. ¿Por qué
de esa manera? ¿Por qué un gallo de tan irrespirable fatalismo,[14] tan silencioso, tan poco aferrado a la vida? ¿Por qué se mostró tan asustado, tan
10 resignado o tan triste? ¿Por qué? ¿Qué sabía? ¿Había sentido en la casa
alguna muerte, la de esa llamada telefónica que yo esperaba, la tristeza
infinita de alguien, la pena de un tiempo de amor lanzado por un precipi-
cio? Y, ¿quién se había enterado de esa muerte del gallo? Nadie. Había
quedado allí en el piso, silencioso, inmune, sin remedio. ¿Dónde estuvo la
15 vida? ¿Dónde el canto gallardo de la madrugada? ¿Quién vendría otra
vez a poner en su sitio las cosas?

Mi corazón golpeaba las rayas de la camisa. Hacía cuatro minutos
que habían sonado las dos. Lo haría. Sí, lo haría. Cogería el teléfono,
marcaría su número[15] y hablaría con ella gritando:

20 —Grette, amor mío. Quiero gritar, llorar, patalear mi muerte:[16] ¡¡¡ki
ki ri kiiii...!!!

Pero no lo hice. Una dura tristeza amarró mi cuerpo y me dejó allí
roto, esperando...

CUESTIONARIO

1. ¿Qué le recordó el gallo a Pedro?
2. ¿Qué hacía Pedro en su habitación?
3. ¿Qué había ocurrido otros días a las dos?
4. ¿Qué impresión le daba a doña María aquella voz?
5. ¿Qué debía hacer Pedro, según doña María?
6. ¿Qué efecto producían las palabras de Pedro cuando se enfadaba?

[13]¿No ha chillado?: *Didn't it cry out?*
[14]tan irrespirable fatalismo: *of such breathless fatalism.*
[15]marcaría su numero: *would dial her number.*
[16]patalear mi muerte: *to flap out my death.*

7. ¿Por qué pensó Pedro en el gallo blanco?
8. ¿Cuáles eran los ruídos normales?
9. ¿Qué llegó en el correo?
10. ¿Dónde estaban los parientes de Pedro?
11. ¿Por qué le pareció una indirecta?
12. ¿Le interesaba a Pedro su prima?
13. ¿Por qué llamó Pedro a doña María?
14. ¿Qué le causó malestar a Pedro?
15. ¿Por qué esperaba que el gallo hubiese hecho ruido?
16. ¿Qué pensó Pedro que había notado el gallo?
17. ¿Qué tenía que ver el gallo con el teléfono?
18. ¿Qué hora era ya?
19. ¿Qué estuvo a punto de hacer Pedro?
20. ¿Qué hizo, en cambio?

TEMAS

1. Describa Vd. la casa en que vive Pedro.
2. Explíquenos cómo es la extranjera que llama a Pedro.
3. Díganos qué hacen los tíos y la prima de Pedro en Alemania.
4. Relate un episodio en que Vd. se sintió como Pedro al notar que el gallo no había protestado cuando le mataron.
5. ¿Por qué razón sufría Pedro en silencio?
6. ¿Cómo sabe Vd. que Pedro está preocupado y no simplemente aburrido?

EJERCICIOS

I. Complete las frases siguientes con la palabra o palabras apropiadas.

1. Doña María _____ el gallo bajo el brazo.
2. La habitación estaba _____ aunque era mediodía.
3. Pedro _____ que sonara el teléfono.
4. La persona que llamaba era _____.
5. No había _____ extraños en la casa.

6. La _____ era de una vista nocturna de Hamburgo.

7. A Lola le _____ Pedro.

8. El gallo había _____ en silencio.

9. Pedro no quería que su amor _____ como el gallo.

10. Grette seguía sin _____.

II. *Elija la expresión que completa las frases siguientes.*

1. Se oían otros (*niños, pollos, animales*) en el patio.

2. Esto era alrededor de (*Madrid, Nochebuena, los viernes*).

3. Pedro estaba (*alegre, pensativo, ilustre*).

4. Doña María creía que Pedro debía contraer (*viruelas, la gripe, matrimonio*).

5. Grette estaba en España (*contenta, temporalmente, derecha*).

6. Pedro tenía (*poco, mal, gran*) genio.

7. Lola era (*hija, pariente, libre*) de Pedro.

8. El gallo blanco no (*cantó, gritó, vino*).

9. Pedro quería (*secar, llamar, escribir*) a Grette.

10. Pero se quedó (*impaciente, seco, comiendo*).

III. *Basándose en el texto, complete las frases siguientes.*

  EJEMPLO: _____ pensaba que iba a atraparme.
      <u>Mi prima Lola</u> pensaba que iba a atraparme.

1. Era lo que se llama _____.

2. En el extranjero es _____.

3. ¿Qué te parece el _____?

4. _____ le gustaba su _____.

5. Hacía ya tres días _____.

IV. *Traduzca al español las frases siguientes, tomadas casi literalmente del texto.*

1. What do you think of this year's rooster?

2. The telephone hadn't rung for three days.

3. Doña María liked her voice.

4. It's different abroad.

5. It was what you call a hint.

6. My cousin Lola thought she was going to trap me.

7. Had the rooster felt the presence of death in the house?

NO SE LO QUE TU PIENSAS

Paco el Largo era entonces mi mejor amigo. Con el que salía más. Tenía otro también que era carbonero. Pero de éste nunca he sabido cómo tenía la cara, y lo que pensaba, menos aún. Hablábamos en la carbonería y parecía algo rubio. Fuera del trabajo, seguro que le habré visto mil veces[1] sin saber quién era; y él a mí tampoco me saludaba. Por estos amigos tenía 5 yo conocidos muy pintorescos, a los que ya ni digo adiós.[2] Nos divertíamos, aunque estuviéramos sin una perra.[3] Paco, sobre todo, conocía a mucha gente y con él se organizaba una buena de cuando en cuando.[4] Y muchas veces, con gitanos incluso.

La familia y mi casa —siempre a media luz, con los postigos entorna- 10 dos[5] —me aburrían y entre seguir el plan de la familia una tarde o marcharme a la buena de Dios con un amigo,[6] elegía con facilidad. Fue mi madre, yo creo, la que empezó primero a pinchar, a solas con mi padre y en las comidas, a propósito de mis amigos, y, sobre todo, a propósito del porvenir.[7] 15

Por lo que pude entender, mi vida daba entonces un giro poco grato, y, desde luego —y sin duda—, sospechoso. Era verano —lo íbamos a pasar en casa—, y vi que todos se lanzaban a acabar con mis inclinaciones. Mi padre, por lo visto, no había sido así, como yo, y esto a todo el mundo le parecía una razón poderosa de exterminio.[8] También era mi padre más 20 bajo que yo, a pesar de sus años, y nunca se lo hubiera reprochado.[9] Pero ellos sí. Ellos, cualquier falta de parecido con él que me encontraran la veían mal. Querían que yo fuera, respecto a mi padre, la segunda edición.

Todo esto pasó el año aquel en que mi tío Alberto quiso que yo

---

[1]**seguro ... veces:** *I'm sure I must have seen him a thousand times.*
[2]**ya ni digo adiós:** *I no longer greet.*
[3]**sin una perra:** *without a penny* (one of the Spanish coins of least value, five *céntimos*, was known as a *perra*).
[4]**se organizaba ... cuando:** *a good party was organized once in a while.*
[5]**siempre ... entornados:** *always in dim light, with the (inner) door half-open.*
[6]**marcharme ... amigo:** *going strolling aimlessly with a friend.*
[7]**a propósito del porvenir:** *concerning my friends and, above all, concerning the future.*
[8]**una razón ... exterminio:** *a powerful reason to exterminate (my inclinations).*
[9]**nunca ... reprochado:** *I never would have reproached him (for being shorter than I).*

estudiase. Yo no tenía ganas de coger un libro, la verdad; pero a mi tío se le metió en la cabeza que las características frenológicas de mi hueso frontal[10] eran satisfactorias. Mi tío Alberto era —y todavía lo es— un hombre joven; tenía tres carreras, pescaba truchas, se divertía por las noches y era

5   el hermano favorito de mi padre; todo ello demasiado abrumador;[11] muy difícil de resistir, orientado ya —todo ello— a hacerme hombre de bien. Un buen día me llamó a su despacho.

—¡Querido sobrino! Tú habrás dicho: ¿Para qué me querrá mi tío Alberto?

10 Yo le miraba. No le creía capaz de una encerrona.[12] Habló mucho y me causó impresión por un detalle, sin duda efectista: hablaba de pie, casi desde el retrato de mi abuelo. Quería que estudiase en la Universidad un curso. Me lo dijo de una manera natural, como si fuera cosa de poner unos sellos en correos. Mi abuelo —ya muerto— estaba de acuerdo en todo.

15 Desde que tengo uso de razón, no recuerdo haber visto nunca más un retrato que, como aquella vez el de mi abuelo, tome parte activa en una entrevista corriente, mueva tanto los ojos y los labios y haga gestos afirmativos tan variados. A mí, por aquel entonces,[13] estas cosas me influían mucho. Sin embargo, dije lo que pensaba, no me mordí la lengua.[14] Yo —dije—

20 prefería hacer por ejemplo lo que había hecho mi amigo Paco el Largo.

— ¿Qué es lo que ha hecho tu amigo Paco el Largo? —preguntó mi tío.

—Colocarse en ese hotel que han hecho en la Gran Vía. Y este verano se va a La Toja.

25 — ¿Sabe idiomas . . . ?

—¡Psé! Lo corriente.

—Ya.

—Lo del bachiller . . .[15]

— ¿Dónde está? ¿En recepción?

30 —No. Es camarero.

Yo resultaba fácil de convencer. No tenía los huesos duros.[16] Mi tío Alberto me habló de mí estupendamente. Sazonó el plato[17] con historias

---

[10]**las características . . . frontal**: *the phrenological characteristics of my forehead* (i.e., *I looked intelligent enough*).
[11]**todo ello demasiado abrumador**: *all that was too overpowering.*
[12]**No le . . . encerrona**: *I didn't believe he was capable of a trap.*
[13]**por aquel entonces**: *around that time.*
[14]**no me . . . lengua**: *I didn't keep quiet.*
[15]**Lo del bachiller**: *What he learned in secondary school.*
[16]**No tenía . . . duros**: *I wasn't hard to convince.*
[17]**Sazonó el plato**: *He spiced his story.*

de pesca. Obsequió a Sócrates con una de sus bromas a propósito de Plinio
y de pescar las truchas con cicuta. Dijo que la cicuta se parecía al perejil.
Total: cuando salí a la calle me puse a darle vueltas a la cabeza:

—Yo puedo ser un caballero y no como Paco el Largo. Una carrera
siempre es una carrera. Lo que tiene mi tío es razón que le sobra. ¡Cuántos 5
quisieran tener mi inteligencia! Y, sin embargo, yo...

Estas reflexiones me llevaron a la Universidad. Aquello era un mundo
curioso de gente muy pedante a la que poco a poco se iba acostumbrando
uno. Las chicas no eran así. Eran vulgares y guapas y lloraban con mucha
frecuencia. En general, las muchachas hacían por la tarde una vida casi 10
fastuosa, distinta a la nuestra. Nosotros nos entregábamos al escepticismo,
a pasar frío[18] y a charlar. Muchos se curaban el catarro por las tardes. Los
libros de texto desagradaban a todo el mundo. Como antídoto se cogían
signaturas de textos franceses para tomar en la misma botica;[19] es decir, en
una biblioteca. Había gente que estudiaba inglés y miraba por las ventanas 15
en dirección al Atlántico. Los ventanales eran hermosos, buenos para ver
el Guadarrama y El Pardo[20] y las mañanas tenían color de conejo y de jabalí. Unos, lo que más hacían era estudiar, otros se dedicaban al arte. A mí,
sobre todo, me llamaron la atención siempre los escultores y las escultoras.
No iban manchados de barro ni tenían manos de picapedreros.[21] Me 20
extrañaba. Claro que estaban empezando.

Mi tío me preguntó por aquello. Cuando se lo estaba contando me
ofreció el tabaco y noté que le temblaba el pulso.[22] Tenía mala cara[23] pero
no estaba enfermo: eran las juergas por las noches. De pronto enarcando
las cejas me dijo: 25

—¡Querido sobrino! Yo no soy mucho más viejo que tú. Pero puedo
decirte que a tu edad hay que tener mucho cuidado. Ahora estudia. Aunque
los ojos se te vuelvan detrás de unas pantorrillas,[24] olvida las pantorrillas
y estudia. No, no te rías.

Yo, claro está, me reía por falta de imaginación. 30

—No te rías. No digo yo que vayas para santo. Pero no te enamores.

—Pero tío, ¡por Dios!

---

[18]**pasar frío**: *enduring the cold weather.*
[19]**para tomar... botica**: *to study together in the same place.*
[20]**Guadarrama**: range of mountains; **El Pardo**: palace and park. Both are easily
    visible from the university section of Madrid.
[21]**manos de picapedreros**: *hands of stoneworkers.*
[22]**le temblaba el pulso**: *his hands shook.*
[23]**Tenía mala cara**: *He looked awful (sick).*
[24]**Aunque... pantorrillas**: *Even if your eyes start following a pair of pretty legs.*

—Si alguna vez cometes la tontería de enamorarte, venderás primero el libro que menos falta te haga y acabarás vendiendo el más necesario y gastando el dinero de la matrícula ...

De aquel curso no saqué nada digno de contarse. Leí, por mi cuenta,
5   el "Quijote" y la "Biblia", más bien por amor propio. Es curioso, pero la Biblia es un libro del que me gustaría hablar en alguna ocasión. En cuanto a "Don Quijote", mi lectura se resolvió en citas. La que batió el record fue esa frase que dice la pobre Dorotea de que los ojos de lince —en materia de ver— no pueden igualarse a los del amor o los del ocio. Traté de estudiar
10 algo de griego para seguir la corriente[25] a un muchacho espigado y sucio, que me dijo un día:

—Estudia el griego, hombre. Así conocerás la tibia delicia de las "pornai"[26] en los amaneceres.

— ¿Sí? —dije yo.
15 —Sí. Y Aristófanes sazonará tu espíritu con la risueña sal del Atica ... A pesar de esto, el griego se me dio mal.[27]

Sin embargo, creo que no he contado aún la cosa más divertida. A mí me parece el tercer acto de todo lo anterior.

En algunas clases teníamos sitios fijos. La lista del profesor era como el
20 destino que nos juntaba, día tras día, con la misma persona. La muchacha que solía caer a mi derecha era alta, de pelo castaño. Iba con abrigo de color ceniza, abrochado hasta el último botón: una escoba con faldas. Se pasaba la mañana muerta de frío, sonreía con frío y no tenía habilidad ninguna para hacer preguntas. A veces preguntaba algo, pero nunca lo-
25 graba uno enterarse de lo que quería saber. Se llamaba Obdulia Ramos García, y, por ella, mi tío Alberto bien tranquilo podía estar. Estudiaba bastante. En esto era como las otras, que se estuvieron pasando apuntes todo el año. Yo hacía una vida más irregular. Unas veces leía en la biblio-teca o asistía a las clases. Otras, bajaba al bar, paseaba por los pasillos o por
30 el jardín. El jardín era un buen sitio, pero entonces hacía algo de frío. Los rosales, en fila, con el tallo leñoso de color gris, me parecían huérfanos ado-lescentes del colegio de las Rosoideas. No tenían hojas y eran auténticos palos coronados con un ramo de espinas de color bermejo. A mí no me cabía en la cabeza que todo ese tinglado representase algo tan exquisito
35 como es una rosa. Se veía lo que el mundo era: una engañifa y pura pre-paración. Igual que uno de esos palos grises, a fin de cuentas,[28] era la mu-

---

[25]**seguir la corriente**: *follow the advice.*
[26]**la tibia ... "pornai"**: *the warm delights of the "pornai"* (*prostitutes*).
[27]**el griego ... mal**: *I didn't do at all well in Greek.*
[28]**a fin de cuentas**: *after all.*

chacha de mi derecha. Representaba a la Mujer, algo también exquisito, y su abrigo tenía color ceniza.

Cuando vino el buen tiempo, las "girls" universitarias sacaron una cuerda larga, como la serpiente del Paraíso, y se pusieron a saltar en el jardín. Una mañana bajé con ellas, y mis pensamientos invernales cedieron 5
mucho en su rigidez. En el parterre, el primer rosal que se veía tenía un par de rosas de aúpa.[29] Y Obdulia se había quitado su funda gris, su abrigo de color ceniza, y no era precisamente uno de aquellos rosales del invierno. Más bien tenía semejanzas con el primaveral, el de las dos rosas. Estaba radiante, muy atractiva, como si esperase a unos productores de cine. 10
¡Era para llenarse de extrañeza!

Terminó el curso y me dieron las papeletas en blanco,[30] como azucenas, como si fueran margaritas, como para echarlas río abajo en una tarde de verano. Ahora, a casa de mi tío Alberto, sólo me llevarían a tiros,[31] y no he vuelto más a la Universidad. Algunas chicas preguntaban a Obdulia 15
por su novio. Ella me contaba que les parecía un soñador. Sin embargo, tuve en año y medio proyectos muy reales en mi cabeza. Quise hacerme primero marino mercante y luego pensé dejar la marina y hacerme abogado en tres años.

Mi tío Alberto se cruzó conmigo un día por la calle. 20

—No sé lo que tú piensas[32] —me dijo.

En mi casa, ésta era una frase corriente. Tan corriente como: "Enciende la radio", "No tardes mucho", "Cierra bien la puerta". Obdulia pocos días más tarde, se planteó la misma cuestión:

—No sé lo que tú piensas . . . 25

Era como si todo el mundo se hubiera sentado rodeándome, para verme, para hacerme objeto de un espectáculo. Quizá sea una costumbre antigua saber lo que piensan los otros.

Lázaro —un amigo mío— se cruzaba conmigo todas las tardes, cuando íbamos Obdulia y yo dando un paseo o buscando un café donde sen- 30
tarnos. Hoy he visto a Lázaro y ha resucitado mis recuerdos.

—¡Qué! ¿Y aquella chica . . .?

—Eso ya terminó.

Porque lo de Obdulia terminó hace seis meses, por mi cumpleaños, cuando tía Cristina me regaló el sombrero gris perla. 35

Me gusta recordar estas cosas ahora que no hago nada . . .

---

[29]**un par . . . aúpa**: *a pair of incredibly beautiful roses.*
[30]**me dieron . . . blanco**: *I was given all blank grade sheets (indicating failure).*
[31]**a casa . . . tiros**: *they could only take me to my Uncle Albert's house at gunpoint.*
[32]**No sé . . . piensas**: *I don't know what you're thinking about.*

CUESTIONARIO

1. ¿Cómo eran los amigos del protagonista?
2. ¿Qué les parecían estas amistades a sus padres?
3. ¿Qué sospechó que iban a "exterminar" aquel verano?
4. ¿Qué dice de su padre?
5. ¿Quién era el tío Alberto?
6. ¿De qué modo intervino el tío Alberto?
7. ¿Qué parte tomó en la entrevista el retrato del abuelo?
8. ¿Qué prefería hacer nuestro protagonista?
9. ¿Qué hacía Paco el Largo?
10. ¿Qué pensaba al salir del despacho de su tío?
11. ¿Cómo describe el autor a las chicas de la universidad?
12. ¿Cómo era la vida estudiantil?
13. ¿Qué causaba el temblor del pulso del tío Alberto?
14. ¿Qué consejo le dio sobre el amor?
15. ¿Qué dice de sus estudios de griego?
16. ¿Quién era Obdulia?
17. ¿Cómo la describe en invierno?
18. ¿Y en primavera?
19. ¿Cómo terminó el curso académico?
20. ¿Qué quiere hacer en esta vida el protagonista?

TEMAS

1. Cuéntenos algo sobre sus amigos pintorescos.
2. Relate un asunto que Vd. quiere y al que se opone su familia.
3. Dénos alguna razón para no vivir como el tío Alberto.
4. Describa alguna chica que le recuerde a Obdulia.
5. ¿Qué determina la falta de interés por el estudio en una persona joven?
6. ¿Qué personajes ha logrado desarrollar mejor el autor?

EJERCICIOS

I. Complete las frases siguientes con la palabra o palabras apropiadas.

1. Lo pasaba muy bien con mis _____.
2. En cambio con la _____ me aburría mucho.
3. A mis familiares no les _____ mis amistades.
4. Yo no tenía _____ de estudiar.
5. El retrato del abuelo parecía tener _____.
6. Pero el tío Alberto me _____.
7. No siempre _____ los libros de texto.
8. Obdulia se _____ a mi derecha.
9. El mundo era como el rosal _____.
10. Nadie sabía lo que yo _____.

II. Elija la expresión que completa las frases siguientes.

1. Para pasarlo bien no necesitábamos (*vino, dinero, jamón*).
2. Mis padres se oponían a mis (*lápices, gustos, estudios*).
3. A mi tío Alberto se le ocurrió que yo era (*tonto, rubio, inteligente*).
4. El abuelo, desde su retrato, (*apoyaba, rugía, comía*) al tío Alberto.
5. En la universidad, los chicos pasaban (*el río, exámenes, frío*).
6. Si se enamoraba se (*pondría, gastaría, lavaría*) todo el dinero.
7. La chica del abrigo gris parecía (*flaca, tonta, verde*).
8. Las papeletas indicaban que no había pasado (*nada, el tren, el curso*).
9. Después de aquello yo no quise (*leer, llamar, ver*) a mi tío Alberto.
10. Hace medio año que (*rompí, vi, pensé*) con Obdulia.

III. Basándose en el texto, complete las frases siguientes.

    EJEMPLO: Todos se lanzaban a _____.
                  Todos se lanzaban a <u>acabar con mis inclinaciones.</u>

1. Me gusta recordar _____.
2. _____ tiene razón _____.
3. _____ estaba de acuerdo _____.
4. _____ no saqué nada _____.
5. Mi vida daba _____ un giro _____.

IV. Traduzca al español las frases siguientes, tomadas casi literalmente del texto.

1. My life was taking an unpleasant turn then.
2. Everyone tried to do away with my inclinations.
3. My grandfather agreed with everything.
4. My uncle is so right.
5. That term, I didn't learn anything worth mentioning.
6. She told me I seemed like a dreamer to them.
7. I like to remember these things, now that I'm doing nothing.

CUESTIONARIO GENERAL
SOBRE LA OBRA DE MEDARDO FRAILE

1. ¿Qué temas parecen preocupar al autor en "Punto final" y "No sé lo que tú piensas"?
2. ¿Qué hay en común en "La cabezota", "Punto final" y "En vilo"?
3. ¿Hay homogeneidad entre los cuentos citados y "El gallo"?
4. ¿Sobresalen el humor, las frases descriptivas o el pesimismo en estos cuentos?
5. ¿Predominan los valores humanos a la fantasía en Medardo Fraile?
6. ¿De qué medios se vale el autor para hacerle sentir a Vd. tristeza en "El gallo" y "En vilo"?
7. ¿De qué modo encajan las narraciones de este autor en su "cuentística"?
8. ¿Ha definido bien Medardo Fraile su propia "cuentística"?

FRANCISCO
GARCIA PAVON

Francisco García Pavón nació en Tomelloso, provincia de Ciudad Real, en 1919, y vive en Madrid, siendo Director General de Taurus Ediciones, al mismo tiempo que ejerce como catedrático de Historia de la Literatura Dramática en la Real Escuela Superior de Arte Dramático. Es Licenciado y Doctor en Filosofía y Letras. También es crítico teatral.

Ha publicado varias novelas, cuentos y ensayos. De sus "Cuentos Republicanos" se incluyen en esta antología varios, a saber: "El entierro del Ciego", "Paulina y Gumersindo", "Juanaco Andrés", "El jamón" y "Comida en Madrid".

CUENTISTICA

Me atrevo a afirmar, consciente del escándalo que tal afirmación pueda producir en muchos lectores, que a pesar de los inconvenientes hallados en el camino de su vida catacumbaria, el florecimiento del cuento español actual es superior al de la novela. Desde 1939 hasta nuestros días, puede señalarse la aparición de seis, ocho, diez, hasta doce novelas importantes, según los gustos, que han valorado el género narrativo mayor[1] en nuestro país. El número de libros de cuentos excelentes y no digamos de cuentos sueltos, es, a mi entender, mucho mayor. El día que las grandes editoriales se ocupen adecuadamente de este género—si es que llegan alguna vez a este feliz término de su rutina y miopía—el lector español quedará extraordinariamente sorprendido.

Sin embargo, y con todos los riesgos que supone el generalizar, podríamos establecer las siguientes dominantes:

Falta de fantasía. —Salvo raras excepciones, según fue muy caracterizada constante de la literatura española, propenden a un realismo más o menos abultado.[2] La observación directa de la vida, tal como llega a nuestros sentidos, se prefiere a toda abstracción. Diríamos, siguiendo la nomenclatura de Naharro,[3] que dominan los cuentos "a noticia".

Ausencia del humor. —El humor, en el más puro significado de la palabra, también está casi totalmente ausente de los cuentos aquí reunidos. Según nuestra vieja tradición literaria, el escritor

---

[1] **que han ... mayor:** *that have done something for the principal narrative form (the novel)* [**valorar:** to enhance].
[2] **propenden ... abultado:** *tend toward a more or less padded realism.*
[3] **Naharro:** Bartolomé Torres Naharro, sixteenth-century playwright, who defined, basically, the **comedia** as falling into one of two categories: **a noticia** and **a fantasía.**

español, de hoy y de siempre, antes quiebra por el nudo elemental
y barroco del ingenio,[4] que por el más sutil del humor.

Como consecuencia, en parte, y un poco por el imperativo
formalista de nuestra época— Miró, Valle y Ortega[5] están en la
puerta[6]— en el narrador actual cunde la preocupación por eso que
casi siempre de manera inexacta se llama "estilo". Pocas veces
habrán convivido en España tantos escritores que escriban tan
bien, tan bien dotados culturalmente, pero la preocupación casi
común por un lenguaje elaborado y comprometido los asemeja
mucho. Ya que —siempre con salvedades— las jóvenes generaciones de escritores, sobre todo los jovencísimos, parecen muy
de acuerdo en la elección de su "estilo".

¿Cuál es este "estilo" dominante entre las últimas promociones
de narradores españoles?[7] Me resulta difícil denominarlo con una
sola palabra. De decidirme por alguna le llamaría "popularismo".
De decidirme por varias para enriquecer el concepto, le llamaría
"habla del pueblo", "tono campechano",[8] giros vulgares que
quieren imitar la entonación del hablante indocto: "tacos", frases
hechas, tópicos del habla conversacional, etc.

Este lenguaje popularista en nuestra joven literatura es, entre
otras causas de difícil captación, una consecuencia de la incor-
poración casi incondicional a nuestras piezas narrativas del hombre
humilde, del hombre de pueblo, del obrero, de "el pobre", en una
palabra. El imperativo social que hoy domina en la literatura
occidental, ha impuesto este repertorio de tipos —no siempre sus
auténticos problemas— caracterizados de por fuera con este lenguaje popular y barriobajero o de aldea. Y resulta curioso cómo la
vieja fórmula verbal del sainete ha venido a revocar la fachada de
la llamada literatura social de nuestro tiempo. La preocupación
universal por "lo social" se españoliza, al menos en su epidermis,

---

[4] **quiebra ... ingenio:** *makes his point by using the basic and baroque knot of his own cleverness*
   [**quebrar:** to break].
[5] **Miró, Valle y Ortega:** Gabriel Miró, Ramón del Valle-Inclán, José Ortega y Gasset,
   three of the leading writers of the first half of the twentieth century; Miró in
   the short story, Valle-Inclán in the novel, and Ortega in the essay.
[6] **están en la puerta:** *are on the threshold (of our times).*
[7] **las últimas ... españoles:** *the latest crop of Spanish writers.*
[8] **tono campechano:** *rustic quality.*

entrando a saco en el *guarda-palabras* del género chico.[9] Cuando se ahonda en los problemas de esta humanidad de pobres que recorren las páginas de nuestras novelas y cuentos, la fórmula es eficaz. Pero cuando el problema se escapa, sólo quedan los paramentos de un decir pseudo popular, de un cuadro más o menos de costumbres, sin gran justificación. El instaurador de esta verborrea populachera, malhablada y chusca,[10] en la novela, fue Camilo José Cela;[11] le dio rigor madrileño y afinó de una manera personalísima los recursos expresivos, Rafael Sánchez Ferlosio en *El Jarama*.[12] En el teatro, el innovador fue Antonio Buero Vallejo.[13] Pero lo que en estos autores resulta espontáneo y lleno de frescura, en muchos de sus seguidores se amanera. Hasta la crónica y el ensayo periodístico adoptan hoy con mucha frecuencia este lenguaje de andar por casa.[14]

Entre estos cuentos con pobres y lenguaje más o menos popular, entre poquísimos de fantasía, conviene destacar dos comparecencias de cierta importancia: a) El cuento de tono poemático, que responde a un canon literario ya un tanto desvaído, con trasuntos juanramonianos[15] y de Joyce. Sus autores, en general, ya han pasado largamente la frontera de los treinta; b) Los cuentos escritos por mujeres. Estos, no obstante sus diferencias de calidad, gozan de unas características peculiares. Abundan en problemas sentimentales e individuales, más que sociales. Suelen ser cuentos con anécdota, con harta frecuencia emparentados con la temática de nuestros grandes narradores de finales del XIX, aunque puestos al día. Prefieren un lenguaje neutro, sin pretensiones estilísticas. Literatura un tanto intimista e intemporal,[16] de un sentimentalismo

---

[9]**entrando ... chico**: *pillaging the word-file of the* género chico [**género chico**: short musical plays popular in the late nineteenth and early twentieth centuries, called **chico** because they were shortened **zarzuelas.**

[10]**verborrea ... chusca**: *popular-style, low-class, droll verbosity.*

[11]**Camilo José Cela**: first important novelist of the post-civil-war period in Spain.

[12]**El Jarama**: novel that won the Premio Nadal in 1956.

[13]**Buero Vallejo**: leading playwright since the early 1950's.

[14]**lenguaje de andar por casa**: *everyday language.*

[15]**trasuntos juanramonianos**: *likenesses on the order of Juan Ramón Jiménez.* (Jiménez, one of the leading poets of the twentieth century, received the Nobel Prize for Literature in 1956. Joyce, mentioned here, is important in the narrative style for his development of the "stream of consciousness" technique.)

[16]**un tanto ... intemporal**: *of an infinite and timeless quality.*

contenido. Y de alguna manera comienzan a apuntar las narraciones de ciencia-ficción.

Los cuentos de hoy, rara vez responden al concepto canónico[17] del cuento. Con frecuencia son más bien una impresión, un relato sin anécdota, un poema en prosa, un tipo, un paisaje, una situación nada peregrina. El autor de hoy huye de la anécdota redonda, del argumento cerrado. Como los viejos maestros de la novela naturalista, parece conformarse con dejar un humilde documento, una impresión real, con el menor aderezo literario posible, al menos en apariencia. Con la mínima invención. Prescinde, en lo posible, de la descripción y la narración y va al lenguaje directo, procurando definir a los personajes por sus palabras, por el diálogo.

El cuento paradigmático, al menos el que a mí me parece paradigmático, que a la vez era: tipos, sensaciones, ambiente, paisaje, diálogo, descripción, etc., como *Bola de sebo*, ¡*Adiós, cordera!*, etc., hoy no se da. Tampoco se da en la novela. No cabe duda que el confusionismo y desdibujamiento que hoy domina en todo, tal vez por vivir en una época transicional, se manifiesta de manera elocuentísima en la literatura y el arte.

---

[17]**al concepto canónico**: *to the dogmatic concept.*

COMIDA EN MADRID

Aquella noche, cuando acabaron de armar los muebles en la casa de aquellos señores de Madrid, los tres operarios y yo esperábamos en el recibidor, mientras el abuelo hablaba con los clientes. Los operarios estaban cansados. Llevaban las herramientas en una maleta grande de madera. Visantet bostezaba y le lloraban los ojos. Franquelín aguardaba sentado, con la mejilla descansando en la mano. Arias estaba más entero.

— ¿Qué, nos vamos de juerga[1] esta noche, Franquelín?

—No. Esta noche, no. Debo dormir. Mañana será ella.

—Y tú, Visantet, ¿vienes a lo que tú sabes?

Visantet se ruborizó, echó una media risa y dijo que no con la cabeza.

—Pues el menda, si Dios quiere, va a darse un rapivoleo por ahí.[2] Con suerte, a lo mejor cae algo que llevarse a la boca.

En el recibidor había un cuadro de cazadores y un tresillo negro con tapicería de damasco verde sifón.

La señora de la casa y el abuelo aparecieron por el pasillo hablando muy despaciosamente. El abuelo le contaba cosas antiguas, haciendo muchas pausas y dando nombres de personas muertas o viejísimas . . . Que si don Melquíades, que si Castelar y Sorolla. La señora escuchaba con una sonrisa caramelosa, sin cansancio. Era una señora rubia y blanquísima, como un limón. Por lo sedosa, decía Arias que tenía en todo el cuerpo carne de teta.[3] Y era verdad. Me parecía una teta alta y rosácea, casi brillante. Envuelta en una bata clara se llevaba toda la luz por donde iba.

Se despidió de todos y a mí me dio un beso glotón y húmedo.

—Buenas noches, doña teta. Que usted lo pase bien. (Iría diciendo Arias para sus adentros.)

El abuelo estaba contento porque los muebles le habían salido muy buenos. Y habían gustado mucho a los señores, que le llamaron "artista" . . . "Y habían pagado sin regatear y no como hacían los del pueblo".

---

[1]**nos vamos de juerga**: *shall we go out on the town?*
[2]**el menda . . . por ahí**: *yours truly is going to knock around a bit.*
[3]**tenía . . . teta**: *all her body was breast-meat.*

Camino del hotel, el abuelo iba haciéndose lenguas[4] de la señora, de lo buena y lo amable y lo guapa que era. Y por escucharle andábamos muy despacio, parándonos a cada nada.[5] Franquelín lo oía bostezando. Y Arias, el encargado, dijo:

—Son los mejores muebles que hemos hecho en nuestra vida. Hemos tenido potra en todo . . .[6] Así da gusto trabajar . . . Claro que la señora lo merece . . . ¡Qué formato tiene, maestro!

Visantet, que llevaba la maleta de la herramienta al hombro, estaba impaciente, chinchado por el peso.

Cuando estuvimos en la puerta del "Hotel Central" —los operarios se hospedaban en la Posada del Peine—, el abuelo les dijo con mucha prosopopeya:

—Mañana, a las doce, nos veremos en el café María Cristina. Comeremos juntos en un buen restaurante. Os invito.

Los tres, Visantet con su maleta, se perdieron entre el gentío de la Puerta del Sol.

Antes de las doce llegamos el abuelo y yo al café. El con cuello duro, piedra en la corbata y la capa azul con embozo granate. Pidió cerveza y patatillas y se puso a ojear el periódico, que era "El Liberal". Yo miraba por los ventanales el ir y venir de la gente. Luego el mármol de la mesa donde se veía escrita una cuenta de sumar muy larga.[7]

Mientras leía, de vez en cuando, hacía comentarios en voz alta:

—"Atiza, otro granuja."[8]

—"Muy bien dicho, sí, señor."

—"No sé dónde vamos a parar"[9] —y se quedaba moviendo la cabeza. Luego pasó una mujer que debía ser muy guapa. Así, gitanaza,[10] y con las tetas altísimas. El abuelo la miró por encima de las gafas, e hizo el mismo gesto que cuando dijo "No sé dónde vamos a parar". Al ver que yo lo observaba volvió a "El Liberal".

Pasó una mujer que le ofreció lotería y después de darle muchas vueltas al número compró un décimo.[11] Y mientras se lo guardaba en la cartera, con mucha pausa, me contó otra vez cuando hacía muchos años le tocaron

---

[4]iba haciéndose lenguas: *was talking in praise.*
[5]parándonos a cada nada: *stopping for any pretext.*
[6]Hemos tenido potra en todo: *We've been lucky all the way.*
[7]una cuenta . . . larga: *a long list of figures that had been added.*
[8]Atiza, otro granuja: *I'll be damned, another rogue.*
[9]No sé . . . parar: *I don't know where things are going to end.*
[10]gitanaza: *gypsy type.*
[11]compró un décimo: *he bought a lottery ticket* (one-tenth of a whole series).

en Valencia diez mil pesetas. (Con las que hizo la casa nueva.) Así que cobró extendió los billetes en la cama y llamó a la abuela, que estaba en el recibidor.

—Mira, Emilia.

Y que abuela dijo: 5

—¡Oh!, qué hermosura.

Y empezó a tocarlos, porque nunca había visto tantos billetes juntos. Llegaron los operarios, muy majos y rozagantes.[12] Arias, rechoncho, con su capa y pañuelo blanco cruzado al cuello. Franquelín, a cuerpo, muy desgalichado su corpachón,[13] con una corbata de lunares anudada como   10 Dios quiso. La gorra de visera negra la llevaba muy hacia una oreja. Visantet, con el traje atusadillo,[14] boina, corbata desfilachada y sin recuerdo de color fijo.

Venían satisfechos, sonrientes, gozando del ocio. Pidieron cervezas y más patatas y contaron, riéndose mucho, que les habían picado las chin-   15 ches y anduvieron toda la noche a zapatazos con ellas.[15] Y algo de un tratante con una moza y que se armó la gresca[16] por la honradez o qué sé yo.

—Vamos a comer en un sitio muy bueno —dijo el abuelo con mucho énfasis— ... En casa de Botín.

—Ya dice el nombre que ahí se debe comer muy bien —dijo Franque-   20 lín. ¡Botin, Botón, Botán!

—Ya veréis.

Tuvimos que esperar para salir del café, porque pasaba una manifestación de obreros y estudiantes con pancartas. Todos gritaban a la vez. De golpe se veían todas las bocas abiertas. Luego se cerraban unos segundos   25 y en seguida volvían a abrirse y a gritar. Poco a poco, aquella gran cuña de gente se encajó[17] en la Puerta del Sol.

El abuelo quedó dándole a la cabeza[18] y dijo:

—Veréis como estos locos acaban con la República.

—Maestro, usted es un burgués y no comprende la injusticia social   30 —dijo Franquelín.

—Qué burgués ni qué cuernos[19] —dijo encrespado—. Mira mis ma-

---

[12]**muy majos y rozagantes**: *all slicked up and arrogant.*
[13]**muy desgalichado su corpachón**: *his huge body very ungainly.*
[14]**con el traje atusadillo**: *with his neatly pressed suit.*
[15]**les habían ... con ellas**: *the bedbugs had bitten them and they were up all night chasing them with their shoes.*
[16]**se armó la gresca**: *a quarrel broke out.*
[17]**aquella ... encajó**: *that great wedge of people forced its way.*
[18]**dándole a la cabeza**: *shaking his head.*
[19]**Qué burgués ni qué cuernos**: *I'm not middle-class nor anything like that.*

nos. Toda la vida trabajando . . . que es lo que hace falta. Con el trabajo se arregla todo. Y no haciendo el vago[20] como éstos.

Como después de esta discusión el abuelo quedó muy serio, Arias, para suavizar un poco la cosa, nos invitó a unas copas en una taberna que
5 había de camino. Desde Sol llegaba el eco de los vivas: ¡ . . . vá! ¡ . . . vá! Desde la taberna hasta Botín, el abuelo, que le gustaba mucho escucharse, nos fue contando las veces que él había estado en Botín: con Melquíades Alvarez y otros políticos para darle un homenaje; y con Gasset, para
10 algo parecido. Y contó lo que comieron, plato por plato, y que les trajeron vino de Rioja, pero don Melquíades exigió que fuese manchego, que manchegos eran cuantos le festejaban.[21] Y cómo todos le aplaudieron aquel rasgo del hombre público.

Al entrar en Botín nos dio una oleada caliente[22] que olía a comidas ricas
15 y picantes, humos de asados, vapores de sopas.

—Este olor alimenta —dijo Franquelín aspirando.

Nos sentamos en una mesa que había un poco arrinconada, y el abuelo pidió la carta. Se caló las gafas "de cerca" y empezó a leerla con gran calma. Los tres operarios con los brazos cruzados sobre la mesa, lo escuchaban
20 como el más sugestivo mensaje del mundo.

—Bueno, ¿qué queréis?

—Yo carne —dijo Franquelín.

— ¿Y antes, qué?

—Carne.

25 —Bueno, lo que tú quieras, pero ¿qué carne?

—Pollo, lomo y chuletas. Esos tres platos quiero. Ni más postre, ni más ná.

El camarero anotó con una media sonrisa.

Luego pidió Arias y luego Visantet, ruborizándose mucho:
30 —Paella.[23]

—A éste le tira la tierra[24] —comentó Arias.

—Buena idea. A nosotros, paella también —dijo el abuelo, consultándome con los ojos.

Para hacer boca pidió vino de la tierra y cangrejos.

---

[20]**Y no haciendo el vago**: *And not bumming around.*
[21]**exigió . . . festejaban**: *demanded that it be Manchegan because those who were honoring him were from La Mancha.*
[22]**una oleada caliente**: *a warm breath of air.*
[23]**Paella**: a rice dish common to Valencia (Visantet is a **valenciano**).
[24]**le tira la tierra**: *his homeland tugs at him.*

Franquelín y Arias reían tan fuerte que los señores que había por allí tan elegantes, tan bien comidos y tan medidos en el hablar, volvían la cabeza con gesto de extrañeza.

Aunque el abuelo nos recomendaba moderación, ya que "por morenas y por cenas están las sepulturas llenas",[25] ellos cada vez comían más, reían con más estridencia, se bebían los vasos de vino de un solo trago y se limpiaban con el dorso de la mano.

Sólo Visantet comía muy en silencio y con la cara muy pegada al plato.

—Esto es vida —decía Franquelín tirándole al cerdo—. ¿Verdad, Visantet?

Y Visantet sonreía como triste, con la boca llena.

—Mi programa de vida ya lo sabe usted, maestro —decía Arias—: trescientas libras trescientas mil veces,[26] doscientas niñas de doscientos meses, comida la que yo quiera e ir a la gloria en primera.

—No está mal —dijo Franquelín—, pero muchas niñas son.

Así que nos descuidábamos, el abuelo empezaba a contar cosas antiguas. Nos callábamos, y ellos creo que se aburrían un poco. Por eso, en seguida, aprovechaban la ocasión para cortar con algún chiste y reírse muchísimo.

Como los vecinos de mesa se habían dado cuenta de que Franquelín sólo comía platos de carne, no dejaban de mirarlo y comentaban.

Tomamos café y copa y luego unos puros de seis reales que eran un fenómeno de gordos. El abuelo, como siempre, cortó la punta del puro con unas tijerillas y metió un poco en la copa del coñac. Con el resto de la copa, poco café y mucho azúcar, hizo un "carajillo".[27]

Franquelín fumaba echando la cabeza hacia atrás y el humo a lo alto.

Entonces, Arias, con los ojos entornados, como mirando hacia la antigüedad, contó cuando una vez estuvo parado en Linares[28] y no pudo comer en dos días, a no ser una torta y una onza de chocolate que le quitó a una niñera del cesto, mientras le daba palique.[29]

Franquelín recordó que había estado preso en Rabat por asuntos políticos y durante varios días no le dieron de comer. Cuando lo soltaron y llegó a su casa, de tanta ansia al ver la comida se le llenaba la boca de agua y no podía probar bocado.

---

[25]**por morenas . . . llenas** : *because of brunettes and suppers the cemeteries are full.*
[26]**trescientas libras . . . veces** : *three hundred pounds three hundred thousand times.*
[27]**hizo un "carajillo"** : *he made an improvised drink.*
[28]**estuvo parado en Linares** : *was out of work in Linares.*
[29]**mientras le daba palique** : *while he made small-talk with her.*

Como era sábado, el abuelo les dijo que él y yo no nos íbamos al pueblo hasta el domingo por la noche, pero que ellos se marcharan aquella tarde si querían.

Franquelín dijo que si tuviera dinero se quedaba a los toros del domingo para ver a Marcial.

—¿Y usted? —preguntó a Arias.

—Yo tengo la misma enfermedad.

—¿Y tú, Visantet?

Bajó los ojos y sonrió ruborizado como siempre.

Entonces, el abuelo sacó la cartera con mucha parsimonia y dijo:

—Por eso que no quede.

Tomó un billete de veinte duros.

—Aquí tenéis cincuenta pesetas que me dio la señora para vosotros y cincuenta que os doy yo. Vuestro es el mundo.

Se pusieron contentísimos y el abuelo les dijo cómo debían repartírselo, pero ya no me acuerdo.

Se despidieron de nosotros en la Puerta del Sol. Todavía me parece verlos perderse entre la gente. Franquelín, con las manos en los bolsillos, dando unos pasos muy grandes. Arias, muy chuleta, con la capa terciada.[30] Visantet con las manos en los bolsillos de la chaqueta, estrechita y mustia. Parecía que iban a comerse el mundo.

Como hacía fresco, el abuelo me llevaba cogido de la mano bajo el embozo de la capa. Paseábamos despacio. Me enseñó lo bonita que era la calle del Arenal a la caída del sol. Todos los edificios parecían pintados de un violeta intenso y la gente muy silenciosa y como desvaída.[31] Vimos el Palacio, que el abuelo llamó "borbónico" de muy mala gana. Y dijo algo así como que ya habíamos dejado de ser súbditos de aquellos señores.[32]

Volvimos por nuestros pasos. El abuelo parecía algo indeciso. Tomamos un espumoso en la calle de Alcalá, y por fin dijo:

—Te llevaré al Circo Price.

Echamos por la calle del Barquillo y me dijo unos versos de Zúñiga riéndose:

Nació Bartolo Guirlache,
si es cierto lo que me han dicho,
en una confitería
de la calle del Barquillo.

---

[30]**muy chuleta** ... **terciada**: *very much the dandy, with his cape hanging across his shoulder.*
[31]**la gente** ... **desvaída**: *the people were silent and rather gaunt.*
[32]**ya habíamos** ... **señores**: *we were no longer subjects of those people (who had lived in the palace).*

—Hace unos años —continuó— toda esta calle estaba pavimentada con tarugos de madera.[33]

— ¿Sí?

—Sí. Y sonaban los cascos de los caballos: pla, pla, pla.

CUESTIONARIO

1. ¿Qué acababan de hacer los hombres?
2. ¿Cuál era su oficio?
3. ¿Cómo era la dueña de la casa?
4. ¿Qué le parecía la señora aquella a Arias?
5. ¿Quién narra el cuento, si la señora le dio un beso?
6. ¿Por qué estaba contento el abuelo?
7. ¿De qué hablaban camino al hotel?
8. ¿A qué invitó el abuelo a los operarios?
9. ¿Cómo iba vestido el abuelo cuando fueron al café?
10. ¿Qué comentarios hizo el abuelo sobre la lotería?
11. ¿Qué aspecto tenían Arias, Franquelín y Visantet?
12. ¿Qué comentaron al llegar?
13. ¿A dónde iban a comer?
14. ¿Por qué tardaron en salir del café?
15. ¿Por qué dice el abuelo que él no es burgués?
16. ¿Qué pidieron de comer en casa de Botín?
17. ¿Por qué llamaban la atención mientras comían?
18. ¿Qué comentarios hacían sobre la comida?
19. ¿A qué los invitó el abuelo al separarse?
20. ¿Qué hicieron luego el autor y su abuelo?

TEMAS

1. Describa la casa donde entregaron los muebles.
2. Describa al autor.

---

[33]**con tarugos de madera**: *with wooden pegs.*

3. Díganos cómo es Franquelín.
4. Hable sobre las ideas políticas del abuelo.
5. Explique sus impresiones de una conversación de negocios que Vd. escuchó de niño.
6. ¿Qué revela que el narrador era niño?

EJERCICIOS

I. Complete las frases siguientes con la palabra o palabras apropiadas.

1. Después de _____ los muebles estaban cansados.
2. El abuelo _____ de cosas antiguas.
3. A Visantet le _____ el peso de las herramientas.
4. La señora de la casa _____ rubia y guapa.
5. En el café María Cristina _____ cerveza.
6. La Puerta del Sol se vió llena de _____ de la manifestación.
7. El abuelo no era burgués sino _____.
8. Al entrar en el _____ olía a comida buena.
9. Visantet pidió _____ porque era de Valencia.
10. En las otras mesas había señores _____.

II. Elija la expresión que completa las frases siguientes.

1. Todos comían, bebían y se (*volvían, dormían, reían*) mucho.
2. El abuelo mojó el puro en (*tijeras, coñac, azúcar*).
3. Franquelín había estado (*lloviendo, jugando, detenido*) en Rabat.
4. Arias estuvo en Linares (*cosiendo, en invierno, sin trabajo*).
5. Ni el (*camarero, tresillo, abuelo*) ni los operarios vivían en Madrid.
6. Dos de ellos querían ir a los (*domingos, lápices, toros*) a ver a Marcial.
7. El abuelo les dio (*papel, dinero, la lata*) para que se divirtieran.
8. Nosotros fuimos (*héroes, frescos, paseando*) hasta el Palacio.
9. Los otros se fueron muy (*antipáticos, morenos, contentos*).
10. No íbamos a volver al (*teatro, circo, pueblo*) hasta el día siguiente.

III. Basándose en el texto, complete las frases siguientes.

EJEMPLO: Pasaba por allí _____.
           Pasaba por allí una manifestación.

1. Se pusieron contentísimos _____.

2. El abuelo me llevaba _____.

3. _____ y creo que _____.

4. _____ los muebles _____.

5. Llevaba una corbata _____.

IV. Traduzca al español las frases siguientes, tomadas casi literalmente del texto.

1. The lady was listening with a very sweet smile.

2. Grandfather was very pleased because the furniture had turned out so well.

3. He wore a polka dot tie, knotted any old way.

4. A demonstration by workers carrying placards was going by.

5. We were silent, and I think some of them were a little bored.

6. They were very happy when Grandfather gave them money.

7. Grandfather led me by the hand.

EL JAMON

El abuelo se cansó muy pronto de los autos y dijo que quería volver a lo antiguo. Que como disfrutaba él era con una tartana y un buen caballo, como toda la vida de Dios. Así los domingos y días de fiesta podríamos salir de campo al río, al monte, a la huerta de Matamoros o a la de Virutas y asar chuletas con la lentisca y hacer pipirranas,[1] freir carne con tomate, o conejo y pisto, a la sombra de un buen árbol.

"Que con el coche no se podía ir tranquilo, ni hablar a gusto, ni ver el campo a placer, ni liar un cigarro como Dios manda. Que el auto se quedase para los chicos, pero que él iba a comprar una tartana."

Y como le habían ofrecido una en Almodóvar del Campo, le dijo a Lillo, que era su mejor amigo y muy entendedor de carruajes por su oficio, que nos iba a llevar el tío Luis a Almodóvar del Campo para ver la tartana, hecha en Valencia por el mejor fabricante.

Lillo se puso muy contento, porque le gustaba mucho viajar con el abuelo, y dijo que no teníamos más remedio que acercarnos a Tirteafuera, que está muy cerca de Almodóvar, para probar el jamón de su amigo Jerónimo, que era el que mejor sabía curarlos de todo el universo mundo. Que desde que probó dos veces en su vida el jamón de Jerónimo, ya no había jamón que le agradase. Porque, decía él y yo no lo cogía bien, que con el jamón pasa lo que con las mujeres, que el que cata una suculenta todas le parecen remedos o semejanzas.[2]

Nos llevó el tío en el coche y no recuerdo por qué tardamos muchísimo. En Almodóvar estuvimos dos horas o tres mirando la tartana y hablando con un hombre muy gordo que era el dueño. A pesar de que nos invitó a vino y a olivas en una taberna, no se cerró el trato porque Lillo le dijo al abuelo que aquello era un armatoste que no valía dos gordas[3] y en nada de tiempo y por muy poco dinero le iba a hacer una tartana preciosa, ligera y forrada de terciopelo rojo por los asientos y respal-

[1]asar ... pipirranas: *to broil chops with the wood of mastic trees, and make tomato salads.*
[2]que el que cata ... semejanzas: *for he who samples a tasty one, all (the rest) seem to be imitations or copies.*
[3]era un ... gordas: *it was a pile of junk that wasn't worth two cents.*

dos. El abuelo se entusiasmó con la idea y añadió que le iban a poner unas maderas muy buenas que tenía él guardadas desde no sé cuando; y un farol eléctrico y un cenicero y una visera de lona verde.[4]

Total que nos fuimos a comer a Tirteafuera, a casa del amigo Jerónimo, que ya estaba avisado por carta de nuestra ida. Y pasamos junto al $\quad$ 5 Valle de Alcudia, que es donde se concentran todos los ganados de España en no sé qué época.[5]

Como dijo el abuelo que Tirteafuera era un pueblo de pesca, le respondió Lillo que allí lo bueno era el jamón de su amigo Jerónimo. Estaban las calles muy desiguales y feas, y el auto andaba malamente. Hasta el punto $\quad$ 10 que hubo que dejarlo junto a la iglesia, que no sé por qué mengua del pueblo,[6] queda en una punta del lugar.

La gente se asomaba a las puertas y ventanas por ver a los forasteros, hasta que llegamos a la casa de Jerónimo, que nos esperaba sentado en su puerta fumando un cigarro hecho con papel negro, que al abuelo le gustó $\quad$ 15 mucho.

Estuvimos largo rato en la puerta, mientras se saludaban y Jerónimo y Lillo hablaban de cosas antiguas. Le entregó Lillo una caja de puros que llevaba de presente y una botella de marrasquino "que a Jerónimo le gustaba más que bailar el agarrao"[7] —según Lillo. $\quad$ 20

Entramos a la casa por una puerta muy baja, pasamos la cocina en la que hervían muchos pucheros para nosotros, y llegamos a una especie de camarón[8] de mucha luz y con varios jarrones colgados de las vigas. Y una mesa de pino, una cazuela muy grande de hierro llena hasta los topes de tacos de jamón muy cuadrotes y sólidos, junto a una bota de vino hin- $\quad$ 25 chada hasta reventar.

Nos mandó sentar el amigo Jerónimo con mucha prosopopeya y pidió a Lillo que fuera él quien tomara el primer tarugo de jamón.

Alargó su mano larguirucha con mucho tiento, casi temblando y tomó un trozo muy oscuro. Se lo acercó Lillo a su nariz de alfanje, como $\quad$ 30 si se lo quisiera comer por allí y al oler, entornó los ojos cual si le llegara el soplo mismo de la vida.[9] Sin abrir los ojos se lo metió en la boca y empezó a masticarlo muy despacico muy despacico, mientras todos lo mirábamos en silencio y a media risa. Y comía remeneando tanto las quijadas y

---

[4]**una visera de lona verde**: *a green canvas visor.*
[5]**en no sé qué época**: *in some unknown time of the year.*
[6]**que no sé ... pueblo**: *for some unknown need of the town.*
[7]**que bailar el agarrao**: *than dancing cheek-to-cheek* [**agarrao**: *dance*].
[8]**una especie de camarón**: *some kind of pantry.*
[9]**cual si ... la vida**: *as if the very breath of life were reaching him.*

dando tales lengüetazos,[10] que yo solté la carcajada; y luego el abuelo, y luego el amigo Jerónimo, y luego el tío, y luego la Gregoria, que entró, y era la mujer de Jerónimo; y luego la Casiana, moza muy colorada y gordita que era una sobrina de Jerónimo que tenían allí recogida.

5   Cuando hubo tragado bien el jamón, Lillo abrió los ojos y dijo:

—Luis, volveros al pueblo cuando os cuadre,[11] que yo aquí me quedo hasta el final de mis días.

La moza Casiana le puso la fuente de barro casi a la altura de las barbas a Lillo para que tomase otro trozo, y él, con el tarugo entre dedos, que-
10 dó mirando a la moza con aquél su aire de viejo picaresco y le dijo:

—Y además esto . . . Que aquí me quedo —dijo.

Casiana nos repartió a todos jamón y empezamos a masticarlo como en misa, porque nadie decía palabra. Yo noté que de puro sabroso le hacía a uno tanta saliva rica en la boca, que no había lugar a hablar, ni a
15 reir, ni a otra cosa que no fuese concentrarse en aquella ricura que llenaba toda la boca, y se crecía, y hacía desear que no acabase nunca.

—¡Coño —dijo el abuelo— si llego a morirme antes de probar este jamón![12]

—Nunca lo comí igual. Ni vino quiero beber hasta el fin, porque no
20 me quite este gustazo —volvió a decir el abuelo.

—No ves, Luis, por no hacerme caso y no haber venido antes, lo que te estabas perdiendo.

— ¿Y cómo lo cura Vd.? —preguntó el abuelo a Jerónimo.

Jerónimo sonrió y bajó los ojos.

25   —No te molestes, Luis, que no se lo dirá a nadie.

—Se lo diré a Casiana cuando vaya a morirme. Es el mejor capital que puedo dejarle.

Y ella se reía satisfecha, con uno de aquellos taruguillos vinosos[13] entre sus dientes blancos y parejos.

30   Comíamos jamón sin cesar, con la ayuda del vino, que no hubo forma de dejarlo mucho tiempo en el olvido.

Llegaron más hombres que había invitado Jerónimo y cayeron rápidos sobre el vino y el jamón, que según decía uno "era la mejor finca del pueblo".[14] Se fueron calentando las risas y las palabras, hasta el extremo de
35 que Lillo contó cosas picarescas que le habían ocurrido en unas posadas con el abuelo, cuando iban por Cuenca y por Soria a comprar madera. Y

---

[10]dando tales lengüetazos: *doing such smacking.*
[11]cuando os cuadre: *whenever you want.*
[12]¡Coño . . . jamón!: *"Oh damn," Grandfather said, "If I had died before tasting this ham!"*
[13]aquellos taruguillos vinosos: *one of those wine-colored pegs.*
[14]era . . . pueblo: *it was the best asset of the town.*

con aquellas picardías las dos mujeres se reían más, especialmente la moza Casiana, que se ponía las manos en los ijares y tronchábase.[15] Una vez que bebió vino, con la risa se le fue la puntería, le cayó el chorrillo por el canal,[16] y dio un gritito. Nos reímos todos de la sagacidad del tintorro,[17] y Lillo aprovechó para contar otra historia de una posadera que por las noches se arrimaba a la yacija de un arriero,[18] su huésped, no por amor a él, sino por beberle de la bota que tenía siempre colgada junto a él, llena de vino, de no sé qué partida de viñas de Manzanares, que son los mejores de la Mancha. Y como el arriero descubrió la maniobra entre sueños, a la noche siguiente se ató la bota a la cintura por ver si la posadera se atrevía. Y Lillo dijo que se atrevió. Las mujeres volvieron a reir tanto, especialmente la moza, que Lillo dijo "que a pesar de haber tanto sol podría haber aguas".[19]

   Sirvieron la comida en un mesetón muy grande, que pusieron en la misma cámara y, menos las mujeres que servían, comimos todos con mucha alegría, sin olvidar el jamón que abundaba en fuentes de barro sobre la mesa, de manera que entre cucharada y cucharada, a manera de entremés, acuñábamos un taruguillo de aquel jamón que, según Lillo, debía ser vitalicio. Hubo gallina en pepitoria, sopa, gorrino frito[20] y unos melones tan babosos y dulzones, que ni el abuelo ni Lillo sabían ya de donde sacar palabras para alabarlo, porque muchos requiebros se los quedó el jamón, algunos la pepitoria, y bastanticos el vino, que era del bueno de Moral de Calatrava, según dijo Jerónimo, que comía con la boina arrumbada en el cogote.[21] Luego hubo café hecho en puchero, gordo como chocolate, copa de marrasquino y puro. Y todavía de repostre, se empeñó en sacar Jerónimo unas uvas en aguardiente, casi rojo, que nos hicieron llorar de puro fuertes.
   Ya a manteles vacíos, se sentaron con nosotros las mujeres y dijeron que cada uno debía decir un brindis,[22] según costumbre de Tirteafuera en las comidas de varios.
   Y como no hubo más remedio, cada uno dijo unas palabras, menos los de Tirteafuera que hablaron en verso, así como las mujeres. Jerónimo se quedó para el último, y todos le pidieron que recitase el "bota mía".[23]

[15]**se ponía . . . tronchábase** : *put her hands on her hips and shook with laughter.*
[16]**le cayó . . . canal** : *the tiny stream (of wine) poured into her cleavage.*
[17]**la sagacidad del tintorro** : *the wisdom of the red wine.*
[18]**se arrimaba . . . arriero** : *she got close to the bed of a muleteer.*
[19]**que a pesar . . . aguas** : *that in spite of such merriment she might wet her pants after laughing so hard.*
[20]**gallina . . . frito** : *cooked chicken, soup, fried pig (pork).*
[21]**la boina . . . cogote** : *his cap pushed back on the nape of his neck.*
[22]**cada uno . . . brindis** : *each one should propose a toast.*
[23]**que recitase el "bota mía"** : *that he recite the (poem) "My Goatskin of Wine".*

Jerónimo, sin hacerse rogar, tomó entre sus manos la bota casi vacia que batimos mientras el aperitivo,[24] y mirándola con mucha tristeza, comenzó a decir:

> Bota mía de mi vida
> dulcísima compañera,
> a quien doy toda mi vida
> mis sentidos y potencias.
> Bota ya te vas quedando
> como barriga de vieja:
> floja, seca y arrugada,
> sin sangre, ni fortaleza.
> Esto es mejor que toros
> que títeres y comedias.
> El vino se va a acabar.
> Ya murió.
> Requiem eterna.

(Y la abrazó como si fuese un niño pequeño)

(Y la palpaba casi llorando metiendo los dedos gordos entre los pliegues del cuero)

(Ahora la alzaba riéndose, con los ojos entornados)
(Y apuró unas gotas con desespero. Luego la apretó entre las manos y acabó tirándola sobre la mesa con cara muy triste)

Jerónimo nos dio unas como suelas de jamón,[25] para que lo "probasen las mujeres", pero no consintió en que se viniese la Casiana como quería Lillo.

CUESTIONARIO

1. ¿De qué se cansó el abuelo?
2. ¿A dónde quería ir los domingos?
3. ¿Por qué no le gustaba el auto?
4. ¿Qué quería comprarse?
5. ¿Dónde les iba a llevar el tío Luis?
6. ¿Por dónde pasarían si iban a Almodóvar?
7. ¿Quién vivía allí?
8. ¿Qué fama tenía Jerónimo?
9. ¿Por qué no se cerró el trato de la tartana con el hombre gordo?
10. ¿Cómo sería la tartana que iba a hacer Lillo?

---

[24]**que batimos ... aperitivo**: *that we finished off with the appetizer.*
[25]**unas como ... jamón**: *some slices of ham (cut like the sole of a shoe).*

11. ¿Qué era Tirteafuera?
12. ¿Cómo eran las calles?
13. ¿Qué hicieron con el auto?
14. ¿Por qué se asomaba la gente a puertas y ventanas?
15. ¿Qué hacía Jerónimo a la puerta?
16. ¿Quién probó primero el jamón?
17. ¿Dónde comieron?
18. ¿Cómo era el jamón?
19. ¿Qué comieron?
20. ¿Qué hicieron después de comer?

TEMAS

1. Describa un viaje que hizo de niño.
2. Relate una comida memorable.
3. Díganos qué ventajas tiene un vehículo más lento que el automóvil.
4. Cuéntenos en qué ocasiones ha hecho usted un brindis.
5. ¿Ha logrado el autor situarle en la casa donde fueron a comer? ¿Cómo?
6. Sin que nadie se lo pidiera, ¿ha escrito Vd. alguna experiencia parecida? ¿Cuál?

EJERCICIOS

I. Complete las frases siguientes con la palabra o palabras apropiadas.

1. El abuelo prefería lo _____ a lo moderno.
2. Las tartanas se _____ en Valencia.
3. El _____ de Jerónimo no tenía igual.
4. Al llegar al pueblo la _____ nos miraba.
5. Lillo llevó a Jerónimo dos _____.
6. La cazuela estaba llena de _____.
7. Mientras saboreaban el jamón nadie _____.
8. Comían jamón con ayuda del _____.
9. Comieron pepitoria y unos _____ muy dulces.
10. Las mujeres se sentaron a tomar _____ con los hombres.

II. Elija la expresión que completa las frases siguientes.

1. El abuelo (*despreciaba, hablaba, prefería*) la tartana.
2. En el auto no se podía ir (*cuesta abajo, tranquilo, de prisa*).
3. Lillo era el mejor (*tío, fabricante, amigo*) del abuelo.
4. Fueron a Almodóvar a ver lo de la (*Paca, tartana, bota*).
5. Avisaron a Jerónimo que iban por (*pies, canoa, correo*).
6. Los (*forasteros, tenedores, lápices*) llamaban la atención.
7. El jamón estaba (*malo, rancio, suculento*).
8. Nadie sabía cómo (*hería, cortaba, curaba*) el jamón Jerónimo.
9. La (*cortina, comida, silla*) también estuvo muy buena.
10. Tomaron café e hicieron muchos (*puros, aguardiente, brindis*).

III. Basándose en el texto, complete las frases siguientes.

   EJEMPLO: Sin hacerse rogar, _____.
              Sin hacerse rogar, recitó el "bota mía".

1. _____ no hubo más remedio _____.
2. No consintió _____.
3. _____ se empeñó _____.
4. Hubo que dejar _____.
5. _____, se le fue la puntería.

IV. Traduzca al español las frases siguientes, tomadas casi literalmente del texto.

1. It was necessary to leave the car next to the church.
2. Because of the laughter, she lost her aim.
3. They couldn't find enough words to praise the melon.
4. Jerónimo insisted on bringing out some grapes.
5. As there was no escaping it, each one said a few words.
6. Jerónimo, without being begged, recited the "Bota mía".
7. He wouldn't allow his niece to come with us.

PAULINA Y GUMERSINDO

La fachada de la casa era una baja pared enjalbegada y un portón ancho. Nada más. Detrás del portón, un corralazo con higuera y parra, con pozo y macetas y, cosa rara, un bravo desmonte velloso de hierba,[1] solaz de las gallinas. Refiriéndose a él decía Paulina: "Cuando hicieron la casa y la cueva, hace milenta años,[2] quedó ese montón de tierra. Como le nació hierba y amapolas, mi padre dijo: "Lo dejaremos". Y cuando nos casamos, Gumersindo dijo: "Pues vamos a dejarlo y así tenemos monte dentro de casa".

En el fondo del corralazo, en bajísima edificación, la cocina, la alcoba del matrimonio, la cuadra de Tancredo y un corralito para el cerdo.

Algunas tardes, muchas, íbamos con mamá o con la abuela a visitar a la hermana Paulina. Si era verano, la encontrábamos sentada entre sus macetas, junto al pozo, leyendo algún periódico atrasado de los que traían las vecinas; o cosiendo.

Al vernos llegar se quitaba las gafas de plata, dejaba lo que tuviese entre manos y nos decía con aquella su sonrisa blanca:

— ¿Qué dice esta familieja?[3]

Siempre me cogía a mí primero. Me acariciaba los muslos y apretaba mi cara contra la suya. Recuerdo de aquellos abrazos de costado: su pelo blanquísimo, sus enormes pendientes de oro y la gran verruga rosada de su frente . . .[4] Olía a arca con membrillos pasados,[5] a aceite de oliva, a paisaje soñado. Y me miraba más con la sonrisa que con sus ojos claros, cansados, bordeados de arrugas rosadas.

Mientras los niños jugábamos en el corralazo o hacíamos alpinismo en el pequeño monte, ella hablaba con mamá. Gustaban de recordar cosas antiguas de gentes muertas, de calles que eran de otra manera, de viñas que ya se quitaron, de montes que ya eran viñas, de romerías a Vírgenes[6] que ya

---

[1]un bravo . . . hierba: *a rough clearing bristling with weeds.*
[2]hace milenta años: *a thousand or so years ago.*
[3]esta familieja: *this little family.*
[4]la gran . . . frente: *the large pink wart on her forehead.*
[5]a arca . . . pasados: *like a chest containing overripe quinces.*
[6]de romerías a Vírgenes: *pilgrimages to images of the Virgin.*

FRANCISCO GARCÍA PAVÓN

no se estilaban. Y al hablar, con frecuencia levantaba una ceja, o el brazo, como señalando cosas distantes en el tiempo. Y al reir se tapaba la boca con la mano e inclinaba la cabeza ("qué cosas aquellas, hija mía"). Si contaba cosas tristes, levantaba un dedo agorero y miraba muy fijamente a los ojos
5 de mamá (". . . aquello tenía que ser así, tenía que morirse, como nos moriremos todicos").

En invierno nos recibía en su cocina, bajo la campana de la chimenea,[7] vigilando el cocer de sus pucheros. La llama, que era la única luz de la habitación si estaba sola, despegaba brillos mortecinos de los vasos gordos
10 de la alacena, de un turbio espejo redondo, del cobre colgado. En el silencio de la cocina vivía el latir del despertador, que acrecía hasta batirlo todo cuando había silencio,[8] y llegaba a callarse si todos hablaban. "Si se para el despertador, lo 'siento' aunque esté en la otra punta del corralazo o en casa de las vecinas" —decía la hermana Paulina—. En las noches más frías
15 de invierno lo envolvía con una bufanda, no se escarchase.[9] "Cuando no está Gumersindo, es mi única compaña. Me desvelo, lo oigo y quedo tranquila."

Si hacía frío, jugábamos en la cocina sobre la banca, cubierta de recia tela roja del Bonillo,[10] o en la cuadra de Tancredo.
20 Al concluir una de sus historias, quedaba unos instantes silenciosa, mirando al fuego, con las manos levemente hacia las llamas . . . Pero en seguida sonreía, porque le llegaban nuevos recuerdos y, meneando la cabeza y mirando a mamá, empezaba otra relación. Si era de gracias y dulzuras, nos decía: "Acercaros, familieja, y escuchar esto", y tomándonos de la
25 cintura contaba aquello, mirando una vez a uno, otra a otro y otra a mamá . . . Y si era de sus muertos, concluía el relato en voz muy opaca. Se recogía una lágrima, suspiraba muy hondo —"¡Ay Señor!"— y quedaba unos segundos mirándose las manos cruzadas sobre el halda . . . Mamá le decía: "¿Recuerda usted, Paulina . . . ?" Ella sonreía, movía la cabeza y se aden-
30 traba con sus palabras añorantes[11] en los azules fondos del recuerdo.

Como se hablaba tanto de república por aquellos días, una tarde nos contó cuando la primera República.[12] Aquella en la que fue el tío abuelo Vicente Pueblas alcalde. Se reunió con sus concejales en el Ayuntamiento a tomar la vara, y lo primero que acordaron fue rezar un Tedeum de

---

[7]**bajo . . . chimenea**: *under the hood of the fireplace.*
[8]**que acrecía . . . silencio**: *that increased until it vanquished everything when there was silence.*
[9]**no se escarchase**: (*so*) *it wouldn't freeze.*
[10]**recia . . . Bonillo**: *stout red cloth from Bonillo.*
[11]**con sus palabras añorantes**: *with her words of reminiscence.*
[12]**cuando la primera República**: *in the days of the First Republic* (*1870's*).

gracias por el advenimiento. "Te aseguro que si viene ahora, no cantarán un Tedeum." Y a la salida de la iglesia, el abuelo Vicente echó un discurso desde el balcón del Ayuntamiento viejo, besó la bandera e invitó por su cuenta a un refresco en su posada.

También nos contaba la "revolución de los consumos".[13] Desde las ventanas de la casa Panadería dispararon "al pueblo indefenso", que luego asaltó los despachos y tiró los papeles. Mataron a tres. Por la noche llegó la tropa desde Manzanares e hicieron hogueras en la calle de la Feria. Y los del Ayuntamiento y los consumistas huyeron entre pellejos de vino,[14] e hicieron prisión en el Pósito Nuevo.

Otras veces contaba lo de la epidemia del cólera: "Los llevaban en carros (a los muertos), como si fueran árboles secos". O cuando mataron a Tajá o a don Francisco Martínez, el padre de las Lauras. O lo del año del hambre, cuando "las pobres gentes se comían los perros y los gatos".

Cuando llegaba la hora de marcharnos, abría la despensa, y mientras buscaba en ella, decía:

—Y ahora, el regalo de la hermana Paulina.

Y mamá:

—Pero, Paulina, mujer . . .

—Tú, calla, muchacha.

Y según el tiempo, sacaba un plato de uvas, o de avellanas, o de altramuces, o de rosquillas de anís,[15] o lo mejor de todo: cotufas que llamaba rosetas.[16] A veces tostones, que son trigo frito con sal. O cañamones.[17] Si era verano y teníamos sed, nos hacía refrescos de vinagre muy ricos.

Y al vernos comer aquellas cosas con gusto, decía sonriendo:

— ¿A que están buenos? ¿Eh, familieja?

Durante muchos años los abuelos, y luego nosotros, los lunes por la mañana presenciábamos el mismo espectáculo. Desde muy temprano y con mucha paciencia, Gumersindo comenzaba sus preparativos. En la puerta de la calle estaba el carrito con Tancredo enganchado. Tancredo era un burro entre pardo y negro, con las orejas horizontales y los ojos aguanosos. Lanas antiguas y grisantes le tapizaban la barriga. En su lomo, de siempre, llevaba grabado su nombre en mayúsculas: TANCREDO. Lo primero que colocaba Gumersindo en el fondo de las bolsas del carro

---

[13]**revolución de los consumos** : *food rebellion.*
[14]**entre pellejos de vino** : *among skinfuls of wine.*
[15]**rosquillas de anís** : *anise cookies.*
[16]**cotufas que llamaba rosetas** : *dainties that she called* **rosetas.**
[17]**O cañamones** : *Or hemp-seeds.*

era la varja. Luego las alforjas repletas, la bota de media arroba, el botijo,
los sacos de pienso para Tancredo, las mantas. Cada una de estas cosas se
las iba aparando Paulina. El, silencioso y exacto, las colocaba en su lugar
de siempre. Por último, ataba el arado a la trasera, revisaba el farol y
5   quedaba pensativo.
　　—¿Llevas el vinagre?
　　—Sí, Paulina.
　　—¿Y el bicarbonato?
　　—Sí, Paulina.
10 —¿Y los puntilleros nuevos?
　　—Sí, cordera.
　　—¿Y las tozas?
　　—Sí, paloma.[18]
　　Cuando estaba todo, Gumersindo miraba su reloj, se ceñía el pañuelo
15 de hierbas[19] a la cabeza y tomando de las manos a su mujer, le decía como
cincuenta años antes:
　　—No dejes de echar el cerrojo por la noche, no vaya a ser que algún
loco quiera abusar de tu soledad.
　　—Tú vete tranquilo —decía ella sonriendo— que tu huerto queda a
20 buen seguro.
　　Gumersindo se acercaba más, le daba dos besos anchos y sonoros y,
sin atreverse a mirarla, nervioso, montaba en el carro.
　　—¡Arre, Tancredo!
　　Tancredo arrancaba, lerdísimo, calle de Martos abajo, y Paulina, acera
25 adelante, echaba a andar tras él.
　　—Paulina, ya está bien —le decía él volviendo la cabeza.
　　Y la hermana Paulina, sonriendo, seguía.
　　—Paulina, vuélvete.
　　Pero Paulina continuaba hasta la calle de la Independencia. Todavía
30 allí permanecía un buen rato, hasta que las voces de él —"Paulina, vuél-
vete"— ya no se oían.
　　El resto de la semana, hasta el sábado a media tarde que regresaba
Gumersindo, Paulina esperaba. Esperaba y preparaba el regreso de
Gumersindo. Esperaba y recibía a sus amistades.
35 　Gumersindo, en la soledad de su viñote, a casi diez leguas del pueblo,
esperaba también, sin amistades a quien recibir. ("Allí solico, luchando
contra la tierra, el pobre mío.")

---

[18]**Sí, cordera . . . Sí, paloma:** *Yes, little lamb . . . Yes, pigeon.*
[19]**se ceñía . . . hierbas:** *he tied his bandana.*

Cuando el cielo se oscurecía, Paulina, desde la puerta de su cocina, venteaba con los ojos preocupados[20] —"¡Ay, Jesús!"—. Los días de tormenta, pegada a la lumbre, rezaba viejas oraciones entre católicas y saturnales.[21] Nunca imaginaba a su Gumersindo amenazado de otros enemigos que los atmosféricos. Al hablar del cierzo, la nevasca, la helada, la tormenta o el granizo, los personalizaba como criaturas inmensas de bien troquelado carácter. El rayo, sobre todo, era, según Paulina, el gran Lucifer de los que andan perdidos por el campo. "Santa Bárbara, manda tus luces a un jaral sin nadie;[22] —Santa Bárbara, líbralo de todo mal, —quita el rayo del aprisco y del candeal;[23] —mándalo con los infieles —a la otra orilla del mar." O aquella otra jaculatoria, entre tradicional y de su propia imaginativa: "San Isidro, ampara a mi Gumersindo; —que el agua moje la tierra —y no arrecie en temporal; —la nieve venga en domingo, —en lunes llegue el granizo —a poco de amañanar; —San Isidro, a los pedriscos —ordénalos jubilar..."[24]

Los sábados, hacia las seis de la tarde, Gumersindo asomaba, llevando a Tancredo del diestro, por la calle de la Independencia. Mucho antes ya estaba Paulina en la esquina con los ojos hacia la plaza.

—¿Qué hay, Paulina? ¿Esperando a tu Gumersindo?

—¡Ea! —contestaba casi ruborosa.

—Mira a Paulina esperando a su galán.

—¡Ea!

Así que columbraba el carro,[25] Paulina no contestaba a los saludos. Sus claros ojos, achicados por los años, por los sábados de espera y los lunes de despedida, miraban a lo que ella bien sabía, sin desviarse un punto.

Entre la polvareda que levantaban tantos carros en sábado, aparecía la silueta de Gumersindo, delgadito, enjuto, trayendo del diestro a Tancredo, que buen sabedor de sus destinos, andaba más liviano, con las orejas un poquito alzadas y diríase que una vaga sonrisa en su hocico húmedo.

Antes de que el carro llegase a la esquina de la calle de Martos, Paulina avanzaba por el centro de la carrilada hasta Gumersindo. Tomándole la cara entre las manos, lo besaba como a un niño.

—Vamos, Paulina, vamos. ¿Qué va a decir la gente? —decía él tímido,

[20]**venteaba ... preocupados:** *she sighed with worried eyes.*
[21]**entre católicas y saturnales:** *somewhere between Catholic and pagan.*
[22]**a un jaral sin nadie:** *to a bramblepatch with no one in it.*
[23]**del aprisco y del candeal:** *from the sheepfold and the wheat field.*
[24]**ordénalos jubilar:** *order them to retire.*
[25]**Así que ... el carro:** *As soon as she saw the cart in the distance.*

empujándola con suavidad. (El, que olía a aire suelto de otoño y a sol
parado;²⁶ a pámpanos y a mosto, si ya era vendimia.) Daba luego unas
palmadas a Tancredo: "¡Ay, viejo!"

Se les veía venir calle de Martos adelante cogidos del bracete —como
5 ella decía—, seguidos de Tancredo, ya confiado a su querencia. Siempre le
traía él algún presente: las primeras muestras de la viña, unas amapolas
adelantadas, un jilguero, espigas secas de trigo para hacer tostones, un
nido de pájaros o un grillo bien guardado en la boina. Cierta vez —siempre lo recordaba ella— le trajo una avutarda, dorada como un águila, que
10 apeó el propio Gumersindo de un majano con un solo tiro de escopeta.

Desuncido el carro y Tancredo en la cuadra, Paulina le sacaba a su
hombre la jofaina, jabón y ropa limpia. Con el agua fría del pozo se atezaba
y aseaba según su medida, mientras ella le tenía la toalla y se entraba la ropa
sucia. Luego, si hacía buen tiempo, se sentaban los dos junto a una mesita,
15 bajo la parra, a comer los platos que ella pensó durante toda la semana. Y
comiendo en amor y compaña, iniciaban la plática que duraría dos días.
El le contaba minuciosamente todos los quehaceres y accidentes de la semana; en qué trozo de tierra laboró, cómo presentía la cosecha, quiénes
pasaron junto a su haza,²⁷ si le sobró o faltó algún companaje, si hizo frío,
20 calor o humedad. Si tuvo noches claras o "escuras", si habló o no con
los labradores de los cortes vecinos, qué le dijeron y cómo respondió él.
Dedicaba un buen párrafo al comportamiento de Tancredo; si anduvo de
buen talante o lo pasó mal con los tábanos y las avispas.²⁸ Si se le curó o
no aquella matadura que le hiciera la lanza²⁹ la pasada semana. Si engrasó
25 o no las tijeras de podar, y muy sobre todo, si le alcanzó el vino hasta la
hora de la vuelta.

Luego le llegaba el turno a Paulina, que le daba las novedades del
pueblo durante la semana. Qué visitas tuvo y de qué se habló. Repaso de
enfermedades en curso, muertos y nacimientos entre la vecindad y cono-
30 cidos. Los miedos que pasó ella el jueves, que se encirró el cielo³⁰ o se
vieron relámpagos por la parte de Alhambra. La preocupación por si le
habría puesto poco tocino en el hato o si el vino se habría repuntado con la
calina que hizo.³¹

Durante los días que permanecía Gumersindo en el pueblo, nadie nos
35 acercábamos por casa de Paulina: "Como está Gumersindo . . ." Se veía

---

²⁶**olía . . . parado**: *he smelled like a fall breeze and like an unmoving sun.*
²⁷**junto a su haza**: *near his piece of land.*
²⁸**con los . . . avispas**: *with the horseflies and the wasps.*
²⁹**le hiciera la lanza**: *which the shaft had caused.*
³⁰**se encirró el cielo**: *the sky clouded over.*
³¹**se habría . . . que hizo**: *had started to turn sour with the heat.*

a la pareja sola, sentada en la puerta si era verano, trabada en sus pláticas. Si en invierno, en la cocina al amparo del fuego, hablaban mirando las llamas. Las historias de Paulina y Gumersindo eran preferentemente de cosas sucedidas en otros años, relaciones de personas muertas y hechos apenas conservados en la memoria de los viejos. O cuentecillos dulces, pequeñas 5 anécdotas, situaciones breves; a veces meras historias de una mirada o un gesto, de un secreto pensamiento que no afloró.[32] Pero ella, por lo menudo y prolijo de su charla, les daba dimensiones imprevistas. (Ahora comprendo que en todas sus historias y pláticas había una sutil malicia, una delgada intención que entonces se me escapaba. Años después, cuando 10 mamá me recordaba las cosas de Paulina, caí en la singular minerva[33] de sus pláticas.)

Entre la muerte de Gumersindo y Paulina mediaron pocas semanas. No podía ser de otra manera.

Un sábado, Paulina, desde la esquina de la calle de Martos, vio enfilar 15 el carro por Independencia, como siempre, pero algo le extrañó. Gumersindo no venía a pie con Tancredo del diestro, según costumbre de cincuenta años. Impaciente, avanzó calle adelante. Se encontró con el carro a la altura de la casa de Flores. Detuvo a Tancredo. Gumersindo, liado en mantas, casi tumbado, asomaba una mano, en la que llevaba las ramaleras. 20 Venía amarillo, quemado por la fiebre, con los ojos semicerrados.

—¿Qué te pasa?

—Que me llegó la mala, Paulina . . . El cierzo de ayer se me lió al riñón.[34]

Lo tapó un poco mejor y tomó ella el diestro de Tancredo. Caminaba 25 con los ojos inmóviles.

Los vecinos la preguntaban:

—¿Qué pasa, Paulina?

Ella seguía sin responder, mirando a lo lejos, bien sujeto el ronzal del viejo Tancredo. 30

No permitió Paulina que nadie lo tocara. Ella lo lavó y amortajó.[35] Ella, con ayuda de otras mujeres, lo echó en la caja. Ella, sin una lágrima, lo miró con sus viejos ojos claros desde que lo encamaron[36] hasta cerrar la caja.

Fue un entierro sin llantos, sin palabras. En el corralazo aguar- 35

---

[32]**de un ... afloró**: *of a secret thought that never flowered.*
[33]**caí ... minerva**: *I realized the special inventive power.*
[34]**El cierzo ... riñón**: *Yesterday's north wind bothered my kidney* [liarse: to entangle].
[35]**lo lavó y amortajó**: *washed him and put him in his shroud.*
[36]**desde que lo encamaron**: *from the time they laid him out.*

dábamos los vecinos, mirando el pozo, la parra, la higuera, el desmonte cubierto de hierba tierna, el carro desuncido, descansando en las lanzas.

Cuando sacaron la caja al coche que aguardaba en la calle, Paulina, ante el asombro de todos echó a andar tras el féretro. Los curas la miraban
5 embobados, sin dejar de cantar. Nadie se atrevió a disuadirla. Iba sola delante del duelo, con las manos cruzadas, pañuelo de seda negro a la cabeza y los ojos fijos en el arca de la muerte. Así llegó hasta la esquina de Martos con Independencia. Cuando el coche dobló hacia la plaza, ella quedó parada en la esquina y, como siempre, levantó el brazo.
10 Mamá y otras vecinas quedaron junto a la hermana Paulina, que seguía moviendo la mano, hasta que el entierro y compaña desembocó en la plaza. Volvió entre los brazos de las vecinas completamente abandonada, llorando, al fin, con un solo gemido interminable, sordo, sin remedio, que acabó con su agonía muchos días después.

15 No sé por qué líos de herederos, la casa de Paulina sigue abandonada. Alguna vez me he asomado por el ojo de la cerradura y he visto el corralazo lodado de malas hierbas y cardenchas. Y por más que esfuerzo mi memoria, no consigo rememorar en él la dulce vida de Paulina, sino el quejido sordo, interminable, de animal herido, que sonó en aquella casa hasta el
20 ronquido final de la dulce.[37]

CUESTIONARIO

1. ¿Cómo era la casa de Paulina y Gumersindo?
2. ¿Estaba en una ciudad o en un pueblo?
3. ¿Qué hacía Paulina cuando la visitaban en verano?
4. ¿Y en invierno?
5. ¿De qué hablaba Paulina con las visitas?
6. ¿Por qué le gustaba oir el despertador?
7. ¿Qué contaba de los tiempos de la primera república?
8. ¿Qué daba Paulina a los niños cuando iban a marcharse?
9. ¿Qué veían los vecinos todos los lunes?
10. ¿Cómo describen a Tancredo?

---
[37]**hasta ... dulce:** *until the final sigh of sweet life.*

11. ¿Qué hacía Paulina cuando arrancaba el carro?
12. ¿Cómo se hablaban Paulina y Gumersindo?
13. ¿Qué hacía Paulina al llegar a la calle de la Independencia?
14. ¿Cómo pasaba toda la semana?
15. ¿Por qué rezaba cuando amenazaba tormenta?
16. ¿Qué hacía mientras Gumersindo?
17. ¿Qué ocurría los sábados por la tarde?
18. ¿De qué hablaban Paulina y Gumersindo cuando él volvía a casa?
19. ¿Cuánto tiempo llevaron esta vida?
20. ¿Por qué murió Paulina poco después que su marido?

TEMAS

1. Relátenos una visita a Paulina.
2. Describa la semana de Gumersindo.
3. Cuéntenos cómo es el regreso de Gumersindo.
4. Explíquenos por qué la casa de Paulina parece estar llena de un gemido muy largo.
5. ¿Cómo ha conseguido el autor entristecernos?
6. ¿Tiene Vd. la sensación de haber aprendido algo sobre otro modo de vivir?

EJERCICIOS

I. Complete las frases siguientes con la palabra o palabras apropiadas.

1. En _____ estaba junto al pozo y las macetas.
2. En _____ nos recibía junto a la chimenea.
3. Contaba _____ antiguas y de gente muerta.
4. Cuidaba mucho el _____ porque estaba sola.
5. Una vez nos habló de la _____ del cólera.
6. Según el tiempo nos _____ cosas que comer.
7. En verano nos hacía _____ si teníamos sed.
8. Todos los _____ Gumersindo se iba al campo.
9. Tancredo _____ el carro cargado.
10. Recomendaba a _____ que cerrase bien la puerta.

II. Elija la expresión que completa las frases siguientes.

1. Paulina seguía el carro hasta no (*tocar, escribir, ver*) a su marido.
2. Durante la semana recibía (*uvas, cartas, visitas*).
3. Hasta el sábado (*pensaba, guisaba, cosía*) en Gumersindo.
4. El trabajaba en la (*oficina, viña, calle*).
5. Paulina no temía otras desgracias que las del (*lunes, carro, tiempo*).
6. Al llegar a casa, Gumersindo se (*sentaba, cenaba, lavaba*).
7. Ella había (*leído, comprado, preparado*) buenas cosas que comer.
8. Su vida entera la pasó (*arando, riñendo, esperando*) a Gumersindo.
9. Un sábado él llegó (*tarde, alegre, enfermo*).
10. Paulina no pudo resistir la (*hija, compañía, muerte*) de su marido.

III. Basándose en el texto, complete las frases siguientes.

       EJEMPLO: _____ en su lugar de siempre.

              El las colocaba en su lugar de siempre.

1. _____ echó a andar _____.
2. No dejes de echar el cerrojo _____.
3. Cuando llegaba la hora _____.
4. Si hacía frío _____.
5. _____ calle de Martos adelante.

IV. Traduzca al español las frases siguientes, tomadas casi literalmente del texto.

1. In the quiet of the kitchen, the beating of the clock seemed alive.
2. If it was cold, we would play on the bench.
3. When it was time to leave, she would open the pantry.
4. He put them in their customary place.
5. Don't forget to bolt the door at night!
6. One could see them coming down Martos Street.
7. No one dared stop her when she started walking behind the casket.

EL ENTIERRO DEL CIEGO

Empezó el escándalo porque el Ciego dejó dicho a sus albaceas y otros contertulios de su agonía y muerte,[1] que quería en su entierro la Banda Municipal. Y el Alcalde se opuso. Lo dijo bien claro: "No quiero que mis músicos amenicen el entierro de un tratante de blancas".[2]

El Ciego lo repitió toda su vida. Casi nadie de los que frecuentaban su lupanar dejó de oirlo; y lo decía así que alguien canturreaba el tango famoso: "Cuando me muera, que me toquen el 'Adiós muchachos compañeros de mi vida', así me despediré de los que me acompañaron en los buenos ratos, y de los que me dieron dinero a ganar".[3]

La burguesía y la clase pretenciosa aprobó la actitud del Alcalde, aunque le criticaron aquella frase de "mis músicos". "Los músicos son del pueblo y no de él. Pues que se habrá creído, etc." El estado llano,[4] tal vez por ir en contra de los guardias, quería que fuese la Banda al muerto. "Que a los pobres ni nos dejan música en el entierro. Que hasta las últimas voluntades nos las capan, etc."

Los albaceas del Ciego y contertulios de su agonía y muerte, para cumplir el deseo del finado, sin desobedecer al Alcalde, (si bien tuvieron muy malas palabras para su familia por líneas de mamá y esposa,[5] y sacaron a recuerdo lo putañero que fue hasta alcanzar la vara;[6] y aún con la vara en el puño, sus resobineos con Carola, la del carabinero),[7] pensaron que fuera la Rondalla. Música era a fin de cuentas, y con tal que se ejecutase el tango, lo mismo daba con púa y cuerda, que con viento y caña.[8]

Pero estaba de Dios que el entierro del pobre Ciego quedara mudo. Los curas se opusieron a la amenidad de la "Rondalla Cultural y Recrea-

---

[1] **a sus albaceas ... muerte**: *to the executors of his will and to other participants in his agony and death.*

[2] **amenicen ... blancas**: *adorn the funeral of a white-slaver.*

[3] **los que ... ganar**: *those who gave me money to earn.*

[4] **El estado llano**: *The lower classes.*

[5] **si bien ... esposa**: *even if they had a few choice words to say about his mother and his wife.*

[6] **lo putañero ... la vara**: *the whoremonger he had been until he attained his office.*

[7] **sus resobineos ... carabinero**: *his affairs with Carola, the policeman's wife.*

[8] **con tal que ... caña**: *as long as they played, the instrument didn't matter.*

tiva". No veían los del clero como casar la severidad de los latines responsarios con el ritmo pizpireto de la Rondalla,[9] máxime con un tango golfo[10] como base de repertorio. Y fue la negación del párroco la que de verdad encrespó los ánimos del pueblo. (Ya tenía el cura ecónomo muy mala prensa
5   en aquel año 1931, por una serie de minucias que no viene al caso, y aquella negativa colmó el cántaro).[11]

Por todos estos altercados con lo civil y lo canónigo, el entierro provocó una gran manifestación, entre dolorosa y política en las clases populares y putañeras del pueblo.[12] Hasta el Colegio de la Reina Madre llegó
10 el desasosiego y "los niños republicanos", —como nos llamaba la hija de don Bartolomé— decidimos hacer acto de presencia en el entierro, amordazado por el "despotismo y la intransigencia" —como dijo el semanario local en su sección de "Puyas".

La casa del Ciego y la de la Carmen, eran las más famosas mancebías[13]
15 del pueblo. La primera se distinguía por la buena música, que dirigía el mismo patrón; y las agudezas de éste cuando estaba en vena.[14] La de la Carmen por el esmero en el trato y la simpatía que en la "alternacía" tenían las pupilas.[15] El era hombre de romances, apotegmas, epigramas y muy sabedor de cante grande. Ella estaba más arrimada al cuplé y al baile moderno.
20 Cuando recibía material nuevo mandaba avisitos a la buena clientela en tarjetas perfumadas. Para alabar las prendas de sus discípulas no había lengua como la de Carmen.

Las dos casas estaban en la calle de las Isabelas. Aquella que nace del ejido donde ponen las atracciones de la Feria. No lejos había otras casas de
25 trato de menos historia y presentación.[16]

Cuando llegamos a la calle de las Isabelas, ya había mucha gente. La puerta de la casa estaba abierta de par en par. Y en el patio donde se alternaba en el verano, bullían todas las mujeres del gremio de la ingle[17] que en el pueblo había. Pintarrajeadas y con velillos partidos en la cabeza; más

---

[9]**el ritmo . . . Rondalla**: *the lively music of La Rondalla.*
[10]**máxime . . . golfo**: *much less a low-class tango.*
[11]**colmó el cántaro**: *was the limit.*
[12]**las clases . . . pueblo**: *the lower and whoremongering classes of the town.*
[13]**las más famosas mancebías**: *the most famous bordellos.*
[14]**estaba en vena**: *was inspired.*
[15]**la simpatía . . . pupilas**: *the gracious way of treating the customers the girls had* [**pupilas**: wards].
[16]**otras casas . . . presentación**: *other, less-distinguished places.*
[17]**todas las . . . ingle**: *all the ladies of ill-fame* [**gremio**: guild; **ingle**: inside part of the thigh].

bien trozos de mantilla o de algún velo grande de viuda, ya que a buen seguro, en el colegio de la fornicación de Tomelloso[18] no debía haber velos
suficientes. A pesar de que querían ponerse serias por la gravedad de la ocasión se les vertían risillas y gritos; y no daban paz a las posaderas sobre las
sillas. Se rebullían sus cuerpos vestidos de vivos colores; y en la cálida tarde 5
primaveral soltaban un tufo de polvos, colonias gruesas y vino agriado,[19]
que trascendía a la calle. Sus caras eran flores de trapo con ojos turbios y
bocas rotas. Ojos mal dormidos, desacostumbrados a la luz del sol.

De vez en cuando llegaban del interior los lloros perrunos y cansados[20]
de las encargadas y coimas de la reserva:[21] ¡Ay, Jesús!, ¡Lo que somos! 10

Entre el personal macho, cual todo de pie en la puerta de la calle y
en el salón de invierno,[22] junto al organillo, abundaban los barberos,
muchos de ellos músicos de aquellas casas en las horas libres y casi todos
discípulos de bandurria, guitarra o laud del Ciego.[23] Que éste enseñó a
mover la prima y el bordón[24] a varias generaciones de tomelloseros. Como 15
guitarrista en el género flamenco, y especialmente en acompañamiento, no
había quien le quitase la palma[25] al Ciego en toda la provincia. Hasta de Argamasilla y Socuéllamos venían barberillos en bicicleta para que él, que no
veía, les diese luz de guitarra. Entre los entendidos tenía fama de mover
la izquierda sobre los trastes como el mismísimo Segovia. Había chulos y 20
queridones de las "sicalípticas"[26] con pañuelo blanco terciado al cuello,
gorra de cuadritos, y los dedos enguantados de nicotina[27] hasta la primera
falange; alguaciles y policías retirados, que recibieron buen trato y favor
del difunto en años mejores. Y discretamente apartados, señoritos finos,
que le habían roto muchas sillas y bandurrias en noches gozosas; que 25
tiraron al pozo veladores, sostenes y botellas del "Mono"[28] en madrugadas
agrias; y alguno, que cierta madrugada de enero lanzó una "azofaifa" a
los charcos de la calle,[29] porque no quiso bailarle el moro. En grupo aparte,
con las caras largas y el pito en la boca o el puro entre dedos, la corte

---

[18]**el colegio ... Tomelloso:** *Tomelloso's school of fornication.*
[19]**soltaban ... agriado:** *they let off a smell of powder, strong perfume, and sour wine.*
[20]**los lloros ... cansados:** *the tired, yowling cries.*
[21]**las encargadas ... reserva:** *the madams and concubines on duty.*
[22]**el salón de invierno:** *the winter reception room.*
[23]**discípulos ... del Ciego:** *bandore, guitar, or lute students of El Ciego.*
[24]**a mover ... el bordón:** *to play the treble and bass strings.*
[25]**no había ... la palma:** *there was no one better than he.*
[26]**chulos ... "sicalípticas":** *pimps and lovers of the "painted ladies".*
[27]**los dedos ... nicotina:** *their fingers covered with nicotine* [**enguantado:** gloved].
[28]**botellas del "Mono":** *bottles of "Anís del Mono".*
[29]**lanzó ... la calle:** *threw one of the girls into the puddles in the street.*

de los flamencos de todas las edades: los viejos, que solo conservaban el
compás o el canto por lo "bajini" para los cabeles;[30] los cuarentones, como
Tizón, que todavía alzaban su voz con grietas en los ratos que estaban a
gusto; y los mocetes de la última hornada, que cantaban a todas horas;
5   amén del guitarrista señorito que solo tocaba cuando llegaban los Domecq
o la Niña de los Peines y en ocasiones privadísimas. En fin, allí estaban todos los productores del ramo de la fornicativa.[31]

Apenas faltaban unos minutos para la hora del entierro, cuando abocó
en la calle de Las Isabelas un Citröen negro, enorme, como coche de tore-
10 ros, que avanzaba muy lentamente entre el gentío, hasta pararse frente mismo de la puerta del duelo. Era la de la Padilla. Pepa la Padilla, famosa
cupletista local, que venía ex-profeso de Albacete, donde actuaba con su
elenco. Su madre fue antigua pupila de la casa y junto al Ciego nació (había quien la creía hija de éste), y él la enseñó a cantar, a bailar y a tocar la
15 guitarra, hasta que un buen día, con sus muchas influencias, la lanzó a los
tablados, donde andaba apaleando los miles de duros.[32]

Pepa la Padilla, bajó del auto como una marquesa. De luto hasta los
pies, pero cargada de pulseras y collares. Llevaba un gran ramo de flores
rojas. La acompañaban dos gitanos culichicos de su ballet; el "cantaor"
20 Cañameras, natural de Pedro Muñoz, gordo, sin corbata y con las patillas
muy bajas; y un chófer de uniforme gris, con la cara trastornada por un
costurón vinoso, con traza de barboquejo.[33]

Pepa la Padilla dio enseguida al duelo una categoría y seriedad que
hasta entonces faltaba. Seguida de los suyos y sin saludar a nadie, pasó
25 desde el auto hasta la capilla ardiente.[34] Nosotros "los niños republicanos",
aprovechamos el descuido para colarnos hasta la "cámara", como decía el
Coleóptero. Al verla entrar en el patio se agitaron las furcias, se la comían
con los ojos,[35] llenas de veneración. Dos o tres se pusieron de pie y la besa-
ron con repentina y cortesana mesura, como si aquella fuese la ocasión de
30 lucir las finuras y urbanidades que cotidianamente habían de olvidar por
razones del oficio.

Los hombres, como a toque de corneta, volvieron los ojos a su paso en
derechura[36] al trasero, que era de aquellos gozosos y lozanos, con la canal

---

[30]**conservaban ... cabeles:** *kept the tune going in a soft voice.*
[31]**todos ... la fornicativa:** *everyone associated with the fornication industry.*
[32]**andaba ... duros:** *she was piling up thousands.*
[33]**por un ... barboquejo:** *by a reddish scar that looked like a chin-strap* [**costurón:** scar].
[34]**la capilla ardiente:** *the funeral room.*
[35]**se agitaron ... los ojos:** *the "girls" got excited and devoured her with their eyes.*
[36]**en derechura:** *looking straight at.*

maestra, bien marcada,[37] de los que solía llamar el Coleóptero "culos imperiales".[38] "El mejor culo de Europa" —dijo un decrépito poniendo un ojo en blanco y sin quitar el otro de la diana. (Que según el Coleóptero, un peritísimo teórico en estas plásticas andantes, los había imperiales como aquél, dicharacheros y pendoncillos como pitorro de botijo o clavel en el ojal;[39] a la buena fin o confiadotes, es decir de "pá allá y pá acá";[40] de balandrán o planos,[41] es decir, amarillos o a la inglesa —que así aseguraba tenerlos todas las de la Pérfida Albión—[42]; de coronel o rígidos, como obra de tonelero;[43] de mermelada o bombón, sin más referencia figurativa, y que parecían aludir a los de mocita en flor o de cuarto verdor;[44] y por último, "los tristes", culos sin sonrisa y de jeta larga,[45] culos de menopáusica y beatas correosas.)[46]

Llegamos a la cámara, que estaba instalada en el dormitorio del Ciego. Unos paños negros cubrían el armario de luna con garras de bronce[47] y en un rincón, sobre una mesita redonda, estaba la guitarra en su estuche negro, ya gastado por el palpo lento y untuoso del que fue su dueño.

El pobre Ciego, gordo, moreno, casi negro, con manchas verdosas en la nariz y la papada verde de bronce viejo,[48] parecía como dormido, con las manos cruzadas sobre el pecho. Lo vistieron con terno marrón,[49] botas enterizas de color sangre de toro, sortija de plata y cadena gruesa del reloj, que brillaban a la luz de los cirios.

Al entrar la cómica en la cámara, amainaron los llantos perrunos del meretricio jubilado,[50] que circundaban el féretro. Todos dejaron de mirar al muerto por mirar a la viva frescachona,[51] cuyas patillas de pelusa negrísima y rizada le caían hasta más abajo de los pendientes rojos. La Padilla, sin inmutarse, se acercó al cadáver, le besó en la frente y dejó las flores

---

[37]**la canal . . . marcada:** *her buttocks well-defined.*
[38]**culos imperiales:** *royal fannies.*
[39]**dicharacheros . . . el ojal:** *lively like the spout of a water bottle or a carnation in the lapel.*
[40]**a la buena . . . pá acá:** *promising ones that go this way and that.*
[41]**de balandrán o planos:** *like cassocks, or flat.*
[42]**todas . . . Albión:** *all the women in England (perfidious Albion).*
[43]**obra de tonelero:** *the work (product) of a barrelmaker.*
[44]**mocita . . . verdor:** *a young maiden bursting into bloom.*
[45]**"los tristes" . . . larga:** *sad ones, ones with no pleasure and heavy-hanging.*
[46]**culos . . . correosas:** *flexible ones of fanatic women and of women who have gone through the menopause* [**correosas:** *rubbery*].
[47]**el armario . . . de bronce:** *the mirrored closet with bronze claw feet.*
[48]**la papada . . . viejo:** *the green double chin of old bronze.*
[49]**con terno marrón:** *a brown suit.*
[50]**del meretricio jubilado:** *of the superannuated sinners.*
[51]**la viva frescachona:** *the lively-looking brunette.*

con mucho amor sobre todo el cuerpo del difunto. Se hincó luego de rodillas a los pies de la caja y rezó largamente alzando mucho sus ojos enormes y oscuros. Persignada con mucha unción, volvió a su aire imperativo de mujer con muchas tablas,[52] y dijo a las viejas que lloraban otra vez:

5 —*Hasen* falta más flores.

Se armó una rebatiña[53] de correr sillas y taconazos. Empezaron a moverse las coimas como si hubieran recibido la orden del mismísimo muerto, cuando mandaba desde la tarimilla de la orquesta el gran rigodón de su negocio, y súbitamente empezaron a llegar flores por todos sitios.

10 Venían las fornicarias con grandes brazadas de rosas, lirios y hasta yerbabuena y amapola, que imitando los ademanes de la Padilla, esparcían sobre el cuerpo muerto. La misma Padilla les ayudaba a colocarlas con mayor simetría, hasta que quedó la caja completamente cubierta, sin más resquicio de muerto que su cara verdinegra y las puntas rojas de las botas ... Toda-

15 vía durante un buen rato siguieron llegando capulinas con flores, y la Padilla, con ademanes de *Maître* de escena, ordenó echarlas a los lados de la caja y al pie de los candelabros. Luego se sentó en la silla más próxima al muerto y clavando la barbilla en el pecho, quedó presa de una congoja sombría, casi irracional. Los "bailaores" y rufos que la acompañaron, con

20 los sombreros de ala ancha entre las manos, en posición de en su lugar descansen[54] y situados en el centro de la habitación, contemplaban entristecidos las muestras de dolor de "su figura".

Cuando corrió la noticia de que habían llegado los curas, se armó un gran alboroto. Arreciaron los llantos, empezaron los hombres a salirse a

25 la calle, y un jayán con pañuelo negro al cuello,[55] de cuatro empujones nos echó a la calle a los chicos que andábamos por allí curioseando.

El coche negro estaba en la puerta cargado de coronas:[56] "Sus huéspedas que no lo olvidan", en una corona. En otra: "El eterno recuerdo de la Rondalla Cultural Tomellosera". Estaba la calle tan llena de gente que

30 no hallábamos a los curas por ningún lado. Nos abrimos paso a codazos, y ya casi en la explanada que servía de parque de atracciones en las ferias, vimos con sorpresa que los curas cantaban tímidamente en la esquina de la calle, casi a cien metros de la puerta de la casa. Don Leopoldo el coad-

---

[52]**mujer con muchas tablas**: *seasoned actress* [tablas: boards (of the stage)].
[53]**Se armó una rebatiña**: *There was a scraping and banging.*
[54]**en posición ... descansen**: *in the position of at ease (in the army).*
[55]**un jayán ... cuello**: *a man with a black kerchief around his neck* [jayán: character].
[56]**cargado de coronas**: *loaded down with wreaths of flowers.*

jutor, Paco el sacristán y Becerra el monaguillo, latineaban mirando al suelo y casi vueltos de espaldas hacia la mancebía, como si enderezasen sus oraciones a otro muerto que no se veía. Solo Becerra, descansando el cirial en tierra con cierto abandono, echaba reojos hacia la nefasta calle de las Isabelas, y casa del muerto ciego.

Sacaron el ataúd sobrenadando a hombros de seis lupanarios pálidos.[57] Uno con la colilla en la conmisura del labio. Dos con pañuelo blanco terciado. Otro completamente doblado, cual si llevara encima el universo mundo. Apenas estuvo el féretro en el coche, los curas echaron a andar muy delante, conservando la distancia que se habían marcado.

Según la costumbre, los hombres, con su duelo, iban primero. Lo formaban los músicos de la casa y un hermano del difunto, que era guardia civil en Argamasilla. Detrás, las mujeres, y presidiendo la Padilla, como una emperatriz entre velos y pulseras; adelantado el busto, y el paso bien marcado con aquellos miembros que Dios le dio. ("No hay prenda como los muslos" —dijo un doliente mirándole el aldear por aquellas alturas).[58]

Ellos, pálidos y delgados, iban fumando. Se les veían sombras de antiquísimas ojeras y las bocas torcidas de tanto pegarse al vaso.[59] Ellas pintarrajeadas de carmín, en grupos, cogidas del brazo, con vestidos chillones y los medio velillos mal colocados. A pesar de que se proponían ir serias, sobre todo por imitar a la Padilla, se les escapaban ademanes disparatados, miradas furtivas, risas mal sofocadas. A las más viejas, las lágrimas les hacían surcos sobre los polvos y el colorete.[60] Era una extraña multitud un poco circense, nerviosa, desacompasada, en procesión locaria.

Se comentó mucho en el pueblo la asistencia al entierro de algunos hijos de buena familia, grandes visitadores del barrio. Iban con su canotier[61] y aire de estar muy por encima de los prejuicios de la masa.

Las gentes abrían calle a aquel entierro, cuyos curas marchaban casi a cien metros del muerto. Las mujeres decentes que presenciaban el espectáculo miraban boquiabiertas tanto puterío junto. Los hombres las chicoleaban y decían barbaridades impertinentes:

—Juana, "aspérame" esta noche.[62]

---

[57]**sobrenadando . . . pálidos**: *carried on the shoulders of six pale bordello owners.*
[58]**mirándole el aldear . . . alturas**: *going through the town at that time (slumming).*
[59]**de tanto pegarse al vaso**: *from so much drinking.*
[60]**les hacían . . . colorete**: *plowed through the powder and the rouge.*
[61]**Iban con su canotier**: *They were wearing their straw hats.*
[62]**"aspérame" esta noche**: *wait for me tonight.*

Ellas se reían, hacían dengues[63] y se daban codazos. Pero la mayor atracción para los espectadores era la Padilla, tan famosa y tan rica, dando solemnidad y señorío a aquel muerto en entredicho.

... De pronto se vió revuelo[64] en el duelo de mujeres. Algo habían
5 dicho a la Padilla sus compañeras que le hizo detenerse, interrumpiendo el cortejo. Hacía oídos a lo que venían a comentar unas y otras. Se partió el entierro en dos partes. Curas, carro fúnebre y hombres se alejaban, mientras las mujeres se arremolinaban en torno a la Padilla, que escuchaba con los ojos muy abiertos y la boca fruncida. Por fin, con ademán autoritario,
10 dio la cupletista orden de continuar, y a buen paso, se soldaron al resto de la comitiva.

Al llegar a la Capilla, que está al principio del Paseo del Cementerio, y apenas los curas echaron el último responso y se volvieron en silencio, la Padilla, con voz de flamenca que difícilmente sabe salir de su son,[65]
15 comenzó a cantar aquel tango:

Adiós muchachos
compañeros de mi vida,
farra querida
de aquellos tiempos.

20 Todos volvieron hacia ella la cabeza con estupor, pero al comprender la intención, y que iba en serio, primero las pelandruscas y enseguida los gamberros,[66] encabezados por los señoritos del canotier, jubilosísimos, continuaron el cantar.

Arrancó el coche, y todo el duelo a voz en grito, rompiendo cada
25 cual la estrofa por donde no sabía más, hasta la misma puerta del Cementerio Católico, cantaron aquel son que tantas veces tocase el Ciego para la juerga en turno.

Adiós muchachos
ya con ésta me despido
30 *frente al destino*
no somos nada.
Ya se acabaron para mí
todas las farras ...

---

[63]**hacían dengues**: *made faces.*
[64]**se vió revuelo**: *some agitation could be noticed.*
[65]**con voz ... son**: *with the voice of a flamenco singer that finds it hard to sing other types of music.*
[66]**las pelandruscas ... gamberros**: *the strumpets and right away the ruffians.*

CUESTIONARIO

1. ¿Qué quería el Ciego en su entierro?
2. ¿Por qué se opuso el Alcalde?
3. ¿A qué se dedicaba el Ciego?
4. ¿Qué tango quería que tocaran en su entierro?
5. ¿Quienes estaban de parte del Alcalde?
6. ¿Quienes estaban en contra?
7. ¿Qué decían del Alcalde los que no estaban de acuerdo con él?
8. ¿Cuál era la alternativa, de no conseguir la Banda Municipal?
9. ¿Qué provocó esta serie de conflictos?
10. ¿Qué hicieron en el Colegio de la Reina Madre?
11. ¿Qué observaron los niños al llegar a la calle de las Isabelas?
12. ¿Quién había en el patio?
13. ¿Qué había enseñado el Ciego a los músicos?
14. ¿Quién llegó en el Citroën?
15. ¿Quién era la Padilla?
16. ¿Qué hizo al entrar donde estaba el cadáver?
17. ¿Cómo era el Ciego?
18. ¿Dónde rezaron los curas?
19. ¿Cómo era el acompañamiento del entierro?
20. ¿Qué hizo la Padilla y luego toda la comitiva?

TEMAS

1. Describa a un Alcalde opuesto a algo.
2. Cuéntenos un episodio a que asistió de niño y en grupo.
3. Díganos cómo fué si ha estado en un entierro.
4. Explique la diferencia que hay entre una marcha fúnebre y un tango.
5. ¿Cómo ha tratado el autor el asunto para dejarnos la impresión de que esta narración no es limpia ni sucia?
6. ¿Cuándo está justificado ir contra las costumbres, según ilustra este cuento?

EJERCICIOS

I. Complete las frases siguientes con la palabra o palabras apropiadas.

1. El Alcalde se _____ al último deseo del Ciego.
2. El Ciego tenía muy _____ reputación.
3. El clero no veía con buenos ojos lo de tocar un _____.
4. El entierro provocó una _____ entre dolorosa y política.
5. Hasta los _____ del colegio de la Reina Madre acudieron.
6. Las mujeres iban muy _____ y vestidas de vivos colores.
7. El Ciego había enseñado a _____ a muchos barberos.
8. Entonces llegó la _____ Pepa la Padilla.
9. Iba _____ de luto hasta los pies.
10. Entrando a la capilla ardiente cubrió el féretro de _____.

II. Elija la expresión que completa las frases siguientes.

1. La Padilla era muy (*buena, morena, llamativa*).
2. Llegó acompañada de unos (*cigarrillos, toreros, bailarines*).
3. Decían que la Padilla quizá fuera (*madre, prima, hija*) del Ciego.
4. Cuando anunciaron que se acercaban los (*toros, curas, gitanos*), hicieron salir a los niños.
5. En el coche negro había muchas (*guitarras, coronas, macetas*).
6. Detrás de los hombres, en el duelo, iban las (*flotas, mujeres, monjas*).
7. Al ver la extraña procesión, los curiosos hacían (*cirios, chistes, versos*).
8. La Padilla, por algo que le dijeron, se puso a (*llorar, gritar, cantar*).
9. Alcanzaron el cortejo y todos (*guisaron, se sentaron, cantaron*).
10. Al fin el Ciego consiguió la (*fuerza, compañía, música*) que quería en su entierro.

III. Basándose en el texto, complete las frases siguientes.

EJEMPLO: _____ estaba abierta de par en par.
La puerta de la casa estaba abierta de par en par.

1. A pesar de que _____.
2. Se comentó mucho _____.
3. —————— dejaron de mirar _____.

4. El escándalo empezó _____.

5. No había quien le quitase la palma _____.

IV. Traduzca al español las frases siguientes, tomadas casi literalmente del texto.

1. The scandal started because of the business about the municipal band.

2. The front door was wide open.

3. They couldn't stop wiggling in their chairs.

4. There was no one better than he in the entire province.

5. Everyone stopped looking at the deceased to look at La Padilla.

6. Even when they tried to look serious, they couldn't do it.

7. The presence at the funeral of some of the young men from the finest families was widely commented.

JUANACO ANDRES,
EL QUE LLEGO DE MEXICO

Por todo el pueblo se cundió la llegada de Juanaco, el que marchó a
México (ahorita se dice Méjico), hacía qué sé yo los años, cuando era un
mocete (no más) que no quería ser soldado. Le tocó a Africa y después de
pensarlo bien, en vez de "pa" Larache marchó "pal" nuevo mundo,[1] en un
5 barco pequeño "que vaya Vd. a saber lo que llevaba,[2] porque en todo el
pasaje no ví más que 'azofaifas' cargadas de colorete[3] y morenos encade-
nados, que cuando los sacaban a cubierta gustaban de darse baños de sol
en la verga. Y uno de ellos que se quedó suelto, le dio tal bajonazo a una
de las del trato,[4] que tuvieron que darle un costurón, como rota en parte,
10 y ponerle cataplasmas qué sé yo cuantos días hasta que pudo abrir el
ángulo de andar[5] y moverse sin apoyos."

Unos decían que Juanaco traía oro y otros que venía limpio.[6] Lo
cierto fue que mientras la travesía de vuelta murió su hermana que era la
única familia que le quedaba en el pueblo. La pobre vieja se quedó dormida
15 junto a la lumbre, bien asentada en una silla baja "y que si le dio un mareo
o que si murió en el sueño"[7] lo fijo es que dobló sobre la hoguera y cuando
la hallaron le faltaba medio cuerpo, que le comieron las llamas. El entierro
—ya debía andar Juanón Andrés por las Canarias— fue solo del medio
cuerpo de abajo, porque del de arriba apenas hallaron unas muelas negras
20 y un como sebo que chorreaba por las baldosas del hogar.[8] "Que si no llega
a armarse aquella peste a asado en todo el barrio[9] y buscamos la humareda,
se habría ido en forma de humo toda entera, camino del cielo, por el cañón

---

[1]**en vez . . . mundo**: *instead of going to Larache he went to the New World.*
[2]**que vaya . . . llevaba**: *who knows what it was transporting.*
[3]**"azofaifas" cargadas de colorete**: *gay "painted ladies".*
[4]**tal bajonazo . . . trato**: *such a blow (with a dagger) to one of the painted ladies.*
[5]**pudo . . . andar**: *she could walk again* (i.e., *she stretched out her legs again*).
[6]**que venía limpio**: *that he came home broke.*
[7]**y que . . . el sueño**: *some say that she had a dizzy spell, others that she died in her sleep.*
[8]**un como . . . hogar**: *something like fat that poured over the floor tiles of the fireplace.*
[9]**Que si . . . el barrio**: *If it hadn't been that the whole neighborhood took on the smell of burn-ing meat.*

de la chimenea. Había la pobre enjalbegado la casa, echado cinta[10] y comprado dos jamones para esperar al indiano y ya en pleno descanso la alcanzó la muerte."

Juanaco llegó al pueblo —así lo contaban los mayores— sin parientes que lo acogiesen ni amigos que lo esperaran, pues todos los que fueron de su trato[11] murieron al andar de tantos años. 5

Cuantos lo esperaban en la estación, que no eran pocos, eran vecinos y curiosos que ni de vista lo conocían.

Dicen que cuando bajó del tren se quedó con las cejas arrugadas mirando a los que esperaban[12] sin saber si el recibimiento era por él o por otro 10
que venía detrás.

Cuando entró en conversación con aquellos ajenos y le contaron lo de su hermana, dicen que se sentó, sin responder, sobre una valija grande de las que traía y así estuvo qué sé yo el tiempo sin decir palabra, con los ojos mirando hacia Argamasilla y el labio de abajo muy sacado. Que luego 15
echó a todos con cajas destempladas[13] y que bien entrada la noche lo vieron bajar por el Paseo de la Estación solito, cargado de bultos y hablando en voz alta a medio lloro. Solo el "Curilla loco" iba tras él predicándole resignación cristiana, pero sin atreverse a arrimarse mucho, no fuera a darle un valijazo en la coronilla.[14] 20

Yo tardé en verlo muchos días . . . Era un hombrón con grandes bigotazos blancos, patillas de hacha del mismo pelo[15] y una cadena gorda en el chaleco. Andaba con un sombrero grandón y paso así balanceante,[16] como si fuera a caerse o a darle un empujón al primero que le viniera con bromas . . . Era un viejo duro y algo torcido, que echaba los pies para 25
adentro;[17] unos pies grandísimos y altos, como de madera. Y lo ví sentado en la puerta del Casino, con la barbilla clavada en la manaza, y el sombrero en el cogote mientras el "Curilla loco" le hablaba casi en la oreja, muy deprisa, muy deprisa.

Varios amigotes hicimos corro ante él, que nos miraba sin vernos, con 30
unas cejas blancas y casi tan grandes como el bigote. Era tan alto, aún sen-

---

[10]**echado cinta:** *spruced up the house.*
[11]**todos los . . . trato:** *those who had known him as a youth (were of his time).*
[12]**se quedó . . . esperaban:** *he stood there frowning at those who were waiting.*
[13]**Que luego . . . destempladas:** *He sent them all away rather abruptly.*
[14]**no fuera . . . coronilla:** *in fear that he might hit him on the head with his suitcase* [**coronilla:** crown of the head].
[15]**patillas . . . pelo:** *hatchet-shaped sideburns of the same color.*
[16]**paso así balanceante:** *a somewhat wavering walk.*
[17]**echaba . . . adentro:** *was pigeon-toed.*

tado, que la silla y el velador del casino parecían de juguete. Por todos lados le salían rodillas, pies, manos, sombrero.[18] El "Curilla loco" a su lado, venía a ser un guacharillo de cuervo[19] que le habían dejado cerca y que se rebullía nervioso porque no podía picarle la oreja.

5 Ocurrió que de pronto alguien llamó al Curilla a un lado y Juanaco se quedó solo mesándose el mentón con una mano ancha como un soplillo.[20] Levantó los ojos hacia nosotros, anchísimos y azules "como un nublezón",[21] según él decía, bajo aquellas cejas de cola de caballo[22] y azorados íbamos a tomar soleta,[23] cuando él nos llamó con una voz gorda y cansada:

10 —Chamacos, venid junto a mí que os convido a un refresco.

Sin poderlo remediar, tal era su seguridad, nos fuimos junto a él. Nos hizo sentar, llamó al camarero y pidió zarzaparrilla "para estos chamaquitos tiernos como flores". Eso nos dijo con aquel acento tan raro. Y que íbamos a ser sus amigos; que tenía que "platicar" mucho con nosotros,

15 porque él tuvo allá un hijito de nuestra estatura que está "muertito" junto a su mamasita en un pueblo oscuro que llaman . . . no sé cómo. Dijo que su chamaquito sabía de cuentas y leer de corrido;[24] que cantaba el himno nacional y ayudaba a misa, pero que luego se le llenó la panza de "parásitos" hasta ponérsela muy gorda y así murió, comido por dentro, porque ningu-

20 no de aquellos cabrones —quería decir médicos— supo dejárselo limpio y lúcido como antes. Que su chamaquito se llamó Juanico, y que reía así, enseñando unas mellicas.[25] También que imitaba el chillar de no sé cuántos pájaros; y que para el día de Reyes del año que murió iba a regalarle un "poney" blanco con manchas tostadas. Se calló de pronto, se pasó la mana-

25 za por las narices y al poco empezó a hablarnos con tono más alegre de indios bravos y "corajudos" (estoy seguro que fue eso lo que dijo y no el pecado que quería Salvadorcito); de "pelaos" que por menos de un pimiento le daban a uno con el "guango" en la cabeza y lo dejaban tieso;[26] y de un volcán; y de caballos sin silla y de otras "pláticas" que nos parecían de

30 cuento. Al final dijo que fuésemos por su casa "al salir de la lección" que

---

[18]**Por todos lados** . . . **sombrero**: *Knees, feet, hands, and hat seemed to stick out all over.*
[19]**un guacharillo de cuervo**: *a small baby crow.*
[20]**ancha como un soplillo**: *as wide as a fan (the kind used for stirring up the coals of a fire).*
[21]**como un nublezón**: *like a big cloud.*
[22]**cejas de cola de caballo**: *eyebrows like a horse's tail.*
[23]**tomar soleta**: *to turn away.*
[24]**sabía** . . . **corrido**: *knew how to count and how to read well.*
[25]**enseñando unas mellicas**: *showing gaps in his teeth.*
[26]**de "pelaos"** . . . **tieso**: *of rough brutes who would hit one over the head with a blackjack and leave one for dead for little or no cause.*

nos enseñaría muchas cosas y nos regalaría juguetes y dulces que había traído de allá para los niños buenos de su pueblo.

Nosotros fuimos algunas tardes a su casa, pero nos teníamos que volver porque no nos hacía caso. Siempre andaba allí jugando a las cartas con "todos los golfantes del pueblo"[27] —como decía el abuelo— y ni mirarnos.   5
Daban voces, puñetazos en la mesa y bebían vino tinto y fumaban sin cesar, pero ni palabra. A lo más que llegó fue a darnos un revólver, muy grande, descargado, para que jugásemos allí en la cocina, sobre una manta que tendía en el suelo. Cuando nos cansábamos marchábamos y ni se enteraba si estábamos dentro o "afuerita" como él decía.   10
Se fue pasando de moda[28] y solo se le veía en las tabernas bebiendo y jugando o por medio de la calle, ya de noche, haciendo eses[29] y cantando cosas de allá.
Un día se armó un gran escándalo, porque le llamaron los republicanos para que les diera una conferencia de lo buena que era la República   15
que él había visto en Méjico, pero llegó medio templado y empezó a decir cosas en contra. "Que aquello de allá era una República de mierda, y que lo que hacía falta en Méjico y en España era mucho palo.[30] Que él era católico a machamartillo 'que si no iba a misa era por costumbre' y que estaba con los ricos de todas todas.[31] Dijo lo de las Carabelas, lo de los Reyes Católicos   20
y lo blandos que habían estado los gobernantes con los 'pelaos' de allá y con los puercos indios. Y que si en España no volvían los militares a tomar el timón de la nave,[32] que nos íbamos a comer los unos a los otros, porque el pueblo español era muy bravo a la hora de arrear, pero a la de pensar no teníamos brújula. De modo que palos y catecismo y el que no trague, a la   25
hoguera, que lo que sobra es carne humana y no es cosa de perder la paz y el orden por dejar que hablen unos cuantos que llenan la cabeza de pólvora a los 'pelaos' y creen que todo el monte es orégano.[33] Que él sabía mucho de eso porque lo había visto en Méjico y que los republicanos españoles se envainasen la lengua, diesen la patada a D. Niceto,[34] y llamasen   30

---

[27]**todos . . . pueblo**: *all the idle men of the town.*
[28]**Se fue pasando de moda**: *He was ceasing to be a novelty.*
[29]**haciendo eses**: *staggering.*
[30]**era una República . . . palo**: *it was a stinking, lousy Republic, and what was needed in Mexico and Spain was an iron hand.*
[31]**con los . . . todas**: *completely in agreement with the rich everywhere.*
[32]**tomar . . . nave**: *to take over the running of the country* [**timón**: helm].
[33]**llenan . . . orégano**: *fill their heads with gunpowder, and think that everything there is perfect.*
[34]**D. Niceto**: D. Niceto Alcalá Zamora, a leader of the Spanish Republic (1931–36).

rápido a los generales del Rey y al Rey mismo porque España no era país para andarse con finuras, como es por ejemplo Inglaterra . . ." Cuando añadió que los republicanos que lo oían eran unos simplones ilusos, se armó tal gresca y tempestad de insultos,[35] que el pobre de Juanaco tuvo que salir por pies para que no lo "criminasen" como él decía.

Como habían pasado muchos días sin que fuésemos por su casa, sobre todo después del escándalo reaccionario ya contado, un día que nos encontró por la calle nos llamó con aire cansado (estaba muy pálido, con los bigotes caidísimos y la voz honda, como fatigada) y nos hizo caricias y nos rogó que fuésemos aquella tarde por casa, que nos iba a contar una historia que le había pasado a él cuando la revolución de Pancho Villa y que aunque no se acordaba muy bien, creía que había matado un par de hombres que le atacaron por un camino . . .

Nos puso la cosa tan bien, que apenas salimos del colegio y sin decir nada en casa, nos plantamos donde Juanaco.[36] . . . Pero en el patio, junto a la parra, estaban tres de los que solían jugar con él a las cartas hablando muy serios con don Gonzalo el médico, que movía la cabeza mirando hacia el suelo y diciendo que no había nada que hacer y que llamaran al cura.

Dos mujeres de la vecindad lloriqueaban en la puerta del comedorcillo, y un olor como de hierbas y malvaviscos cundía por toda la casa.

Nos colamos sin que nadie nos lo impidiese hasta el cuarto de Juanaco, que lo separaba del comedorcillo una cortina verde. Allí, sobre una cama de hierros dorados y boliches gordos como piñas, estaba con la cabecera muy empinada. Tenía los ojos bien abiertos, pero una respiración malísima y el color amoratado. Tan mal respiraba que casi sacaba la lengua por el camino del aire.

Al ver que nos asomábamos nos quiso echar una risa, que bien se lo noté, pero tanto trabajo le daba la fatigosa respiración que no pudo cumplir su propósito más allá de una leve mueca.

Al cabo de un buen rato vino el "Curilla loco" y nos hicieron salir del cuarto para la confesión.

Todos esperamos en el patio de la parra el buen rato que tardó el cura. Cuando salió nos hizo un gesto lamentable y marchó sin decir nada.

Volvimos todos al cuarto y ya, a pesar del poco tiempo, Juanaco parecía más oscurecido. Si bien conservaba los ojos abiertos, tenía en la piel de

---

[35]**se armó . . . insultos:** *such a clatter and storm of insults broke out.*
[36]**nos plantamos donde Juanaco:** *we were at Juanaco's place.*

la cara como unas escamas moradas[37] de muy siniestros indicios. Además ya se le oía mucho como un ronquido incansable.

Una mujer habló de la conveniencia de ir pensando en la mortaja "para que fuera bien apañao"[38] y apenas dicho, no sé qué pasó, que todos empezaron a abrir las cómodas, los baúles y las taquillas y a sacar cuantas cosas de aquella casa no estaban a la vista. Las dos mujeres especialmente escarbaban rapidísimas entre las ropas y cosuchas. Todo lo miraban y hacían apartijos de cuanto les parecía mejor. Los tres hombres también habían empezado a probarse chaquetas y botas altas, a comprobar el peso de unas espuelas de plata enormes; a palpar la cadena gorda del reloj, y sobre todo, con muy poco disimulo, ver donde guardaba "la plata" el Juanaco. Parecía aquello cosa de teatro, porque en un instante todos y todas estaban a medio vestir probándose las prendas del indiano y de la hermana muerta; despreciando las que creían malas y arrebatándose unos a otros las que les parecían más codiciaderas. Las dos mujeres tiraban tan fuerte de la misma faja de seda rosa que se rajó con un quejido metálico.[39] Pero estaba claro que por más que removian no daban con lo que todos de verdad buscaban.

A todo esto se oyó como si los ronquidos fueran mayores,[40] y al mirar vimos que Juanaco, con los ojos más abiertos que antes y las manos extendidas hacia el rincón donde estábamos los muchachos, que nada tocábamos, quisiera decirnos algo. Pero enseguida, rendido por la fatiga, volvió a caer sobre la almohada aunque sin cerrar del todo los ojos que seguían atentos a la operación... Los hombres aquellos y las mujeres, pasado el breve susto, volvieron a sus probatas y rebuscas.

De pronto se escuchó como un chorro de monedas que caían al suelo y todos, después de mirar un segundo hacia donde venía el ruido, fueron hacia allí. Se armó tal riña sorda, tal desconcierto de empellones, gritos y codazos que alguno empujó a la mesilla de noche que se vino al suelo con todos los frascos y pócimas que tenía sobre su mármol. Cada cual buscaba las perras por su lado. Juanaco volvió a incorporarse con mucha energía, como rabioso. Subió los brazos a lo alto, gritó algo muy fuerte, que no se entendía bien, pero que terminaba en "tias... ¡¡¡tias!!!, ¡¡¡... tias!!!". Y cayó muerto de golpetazo.

Todos aquellos hombres y mujeres, a medio vestir, quedaron como espantados, con las monedas en la mano. Por fin una mujer empezó a llorar y luego las otras. Y yo también lloré.

---

[37]**como unas escamas moradas**: *something like purple fish scales.*
[38]**para que ... apañao**: *so that he would be well dressed.*
[39]**se rajó ... metálico**: *it split with a metallic sound.*
[40]**como si ... mayores**: *as if his breathing got heavier.*

CUESTIONARIO

1. ¿Quién había regresado al pueblo?
2. ¿Por qué salió de España?
3. ¿A dónde tenía que haber ido?
4. ¿Qué clase de gente iba en el buque?
5. ¿Qué decían en el pueblo de la fortuna de Juanaco?
6. ¿Quién era el único pariente que le quedaba?
7. ¿Cómo murió la hermana?
8. ¿Quién salió a la estación a esperarle?
9. ¿A quiénes conocía?
10. ¿Qué hizo al enterarse de la muerte de su hermana?
11. ¿Cuándo había muerto ésta?
12. ¿Qué aspecto tenía Juanaco?
13. ¿Qué hacían los niños en el café?
14. ¿Quién hablaba con Juanaco?
15. ¿Qué contó Juanaco a los niños de su vida en el extranjero?
16. ¿En qué país había pasado tantos años?
17. ¿Qué hacía Juanaco en su casa cuando los niños iban a verle?
18. ¿Por qué dejaron de ir los niños?
19. ¿Por qué habló mal de la república?
20. ¿Qué buscaban los vecinos cuando Juanaco estaba a punto de morir?

TEMAS

1. Describa a alguien que ha vivido en el extranjero.
2. Díganos algo sobre un lugar al que Vd. haya regresado al cabo de una larga ausencia.
3. Explique lo que pensaban los niños de aquel personaje.
4. Diga lo que oyó en un discurso político que no esperaba oir.
5. ¿Por qué no consiguió encajar Juanaco en la vida del pueblo donde nació?
6. ¿Qué hechos relata el autor que indican indiferencia por alguien a quien apenas se conoce?

EJERCICIOS

I. Complete las frases siguientes con la palabra o palabras apropiadas.

1. Juanaco se fué a Méjico huyendo del _____.
2. La gente que iba en el buque era de clase _____.
3. No se sabe si Juanaco volvió a España rico o _____.
4. No _____ a nadie de los que salieron a la estación.
5. Tanto sus miembros como su indumentaria eran _____.
6. Hablaba a los niños de su _____ muerto.
7. No hablaba _____ de Méjico.
8. Solía _____ vino y jugar con los golfantes.
9. A veces se le veía _____ y contando cosas de allá.
10. Habló muy mal de la _____.

II. Elija la expresión que completa las frases siguientes.

1. Juanaco fué al Nuevo Mundo muy (*contento, pobre, joven*).
2. Tardó (*pocos, negros, muchos*) años en volver.
3. Sus amigos ya habían (*escrito, salido, muerto*).
4. Poco antes de llegar Juanaco, su hermana (*habló, murió, pintó*).
5. Los niños y los vecinos tenían (*pena, lápices, curiosidad*).
6. Contaba (*cosas, novelas, dinero*) muy raras.
7. Bebía (*agua, poco, demasiado*).
8. Habló así de política porque estaba (*cansado, sucio, borracho*).
9. Primero los vecinos buscaban (*dinero, medicinas, mortaja*).
10. Pero acabaron (*sacando, probándose, lavando*) la ropa que encontraron.

III. Basándose en el texto, complete las frases siguientes.

EJEMPLO: Unos decían que traía oro _____.
Unos decían que traía oro <u>y otros que venía limpio</u>.

1. _____ no lo conocían.
2. Sin poderlo remediar, _____.
3. Estaba claro que _____.
4. Un día se armó un gran escándalo _____.
5. Enseguida, _____.

IV. Traduzca al español las frases siguientes, tomadas casi literalmente del texto.

1. Some said he was loaded, and others said he was broke.
2. All those who were waiting for him at the station didn't even know him.
3. He looked up at us with his wide blue eyes.
4. His self-assuredness was so great that we couldn't help going to him.
5. One day there was a big hubbub because they asked him to give a speech.
6. It was obvious that they couldn't find what they were really looking for.
7. Right away, exhausted, he fell back on his pillow.

CUESTIONARIO GENERAL
SOBRE LA OBRA DE FRANCISCO GARCIA PAVON

1. ¿Le parecen escritos por un niño los cuentos de García Pavón?
2. ¿Qué contraste hay entre la muerte en "El entierro del ciego" y en "Paulina y Gumersindo"?
3. ¿Encuentra elementos ajenos a la acción principal en "El jamón" y "Comida en Madrid"?
4. ¿De qué medio se vale el autor para poner en boca de sus personajes opiniones políticas sin afirmarlas ni desmentirlas?
5. ¿Cómo consigue transmitir emociones en "Juanaco Andrés" y "Paulina y Gumersindo"?
6. ¿A qué clase social pertenecen los tipos de García Pavón en su mayor parte?
7. ¿Utiliza este autor en alguna de estas narraciones el lenguaje popular a que alude?
8. ¿Usa García Pavón alguno de los rasgos que dice en su "cuentística" que están ausentes del cuento español actual?

VOCABULARIO

The following types of words have been omitted in the vocabulary: personal, demonstrative, and possessive adjectives and pronouns; recognizable cognates; adverbs ending in -mente; *cardinal and ordinal numbers; verbal forms other than infinitives; proper names; names of the months and days of the week. The definition supplied here is the meaning of the word within the text, and is not necessarily the primary one found in a dictionary.*

A

abatido dejected, faint
abecedario alphabet
abocar to enter
abogado lawyer
abrazar to embrace
abrir to open
— paso to push through
— una grieta to open a crack
abrochado fastened, buttoned up
abstraído absent-minded
abuelo grandfather
aburrir to bore
académico academician (member of the
Real Academia Española)
acaparar to monopolize, corner (a market)
acariciante caressingly
acariciar to caress
acaso chance
por si — just in case
aceite oil
acentuar to stress
acera sidewalk
acercarse to draw near
acertado fitting, proper
acertar a dar to happen to give
acierto
tener — to hit the nail on the head
aclarado cleared up
aclararse to clarify
acodarse to lean on one's elbow
acogedor sheltering, protecting
acoger to receive, welcome
acompañar to accompany
acompasar to beat time with
acontecimiento happening
acordar to agree
—se to remember
acortadito wearing short pants
acosar to harass
acostumbrar(se) to become accustomed
acto ceremony; act
actual contemporary
actualidad the present time
acudir to come to
acuñar to wedge
achatar to flatten

achicar(se) to get smaller
adaptar(se) to adapt (oneself) to
adelantar(se) to progress, go forward
— lo del piso to lend the money to
buy the apartment
adelante forward
ademán gesture
además besides
adentros to himself
aderezo ornament
adhesión sticking, adhering
adivinar to guess
adormilado drowsy
adorno ornament
adosado placed back to back
adquirir to acquire
advenimiento event
advertir to note, take notice of
afán anxiety
afeitar to shave
aferrado bound; grasped
aferrarse to grasp
afilar to sharpen
afinar to sharpen
agachado bent over
agachar to lower; to bend over
agazapado hidden; crouched over
agitar(se) to move around; to get excited
agorero as an omen
agotamiento exhaustion
agradar to please
agradecer to thank, be grateful for
agrio bitter
agrupar(se) to join; to group with
aguanoso watery
aguantar(se) to put up with
aguardar to wait for
aguardiente kind of brandy
agudeza pun
águila eagle
agujero hole
ahondar to dig deeper
ahorita Mex. right now
aislado isolated
ajeno n. stranger; adj. unmindful
ajustar(se) to adjust, fit
ala wing; brim (of a hat)
alabar to praise

alacena cupboard
alambre wire
alarde display
alargar to hold out, extend, lengthen; to hand out
albaricoque apricot
alborotado restless
alborotar to make noise
alboroto excitement
alcalde mayor
alcance reach, scope
alcanzar to reach, obtain; to be able
alcoba bedroom
aldea village
alegría happiness
alejar(se) to go away from
alfanje
  nariz de — hook nose
alféizar windowsill
alforja saddlebag
alguacil constable
aliciente excitement, inducement
alimentar to nourish
alita *dim. of* **ala**
almidonar to starch
almohada pillow
alocado crazy, wild
alojarse to be lodged, be housed
alrededor around, near
altamar high seas
altercado argument
alternar to deal
alto top (of); tall, high
altramuz (edible) lupine seed
altura height, altitude; level
alzar to raise, lift
amable amiable
amainar to diminish
amanecer dawn
amanerarse to adopt an affectation
amapola poppy
amarrar to take hold of
ambiente background; environment
ambos both (of)
amedrentar to frighten
amenazante menacing
amenazar to menace, threaten
amenidad nicety
amistad friendship
amistades friends
amodorrarse to become drowsy
amontonarse to pile up

amoratado purplish
amordazar to muzzle; to keep quiet
amparar to shelter
amplitud size; largeness
anciana old woman
  —s bondadosas kind old ladies
ancho wide
andadura walk, amble
andaluz Andalusian; in the Andalusian manner
andar to walk
  — mejor vestidos to be better dressed
  — peor to be worse off
  — por casa everyday language
angustia anguish
anillar to form rings or circles
  —se la cintura to put each other's arms around the waist
anillo ring
animar to encourage
ánimo nerve; spirit; soul
anotar to write down
ansia anxiety
antebrazo forearm
antepasado ancestor
anudar to tie a knot
anzuelo bait
añadir to add
añazo year
añoranza nostalgia
apacible peaceful
apagar(se) to turn off; to go out
aparador china closet
aparar to prepare
aparcado parked
aparecer to appear
aparentar to give the appearance of
aparición appearance
apartar to brush aside
apartijos separate piles
apear to get down
apellido surname
apenas scarcely, hardly
apetecer to want
aplastar to flatten, crush
aplaudir to applaud
aplazar to postpone
aplicado dedicated
aplomo tact; serenity, aplomb
apostolado apostolate
apotegma maxim
apoyar to rest; to support

apoyo support
aprendizaje apprenticeship
apresurado in a hurry
apresuramiento acceleration, haste
apresurarse to be in a hurry
apretar to tighten; to apply pressure to
apretura crush; pressure
aprovechar to take advantage of
apuntar to take notes
apuntes class notes
apurar to clarify, verify; to purify; to finish
apuro anguish
ara altar
  en —s de in the light of
arado plow
aradón plow
arañar(se) to scratch (oneself)
árbol tree
arbusto bush
arca coffin
ardor heat
argumento plot (of a story or play)
armar to put together
armarse to create
arraigado rooted, fixed in place
arrancar to pull out; to start
arrastrar to drag, pull along
arrear to get going
arrebatar to take away from
arreciar to augment
arreglar(se) to arrange
arremolinar(se) to form a crowd around
arreos harness
arrepentirse to be sorry
arriero mule skinner, muleteer
arrimada given to
arrimados leaning against
arrimar(se) to lean against; to join; to get close; to be given to
arrinconar(se) to corner; to go into a corner
arroba (liquid) measure
arrojar to throw (out)
arrollado trampled, insulted
arrugado wrinkled
artesa trough (for kneading dough)
asado broiled
asaltar to assault
ascender to go up; to board a plane
ascenso promotion
ascensor elevator

asco nausea
asear to spruce up
asegurar to assure
asemejar to resemble
asentir to agree
así que as soon as
asiento seat
asignatura (school) subject
asir to grasp, hold
asistencia attendance
asomado looking into, out of
asomarse to look into or out of, to lean out of; to appear; to show
asombrarse to be astonished
asombroso amazing
aspirar to inhale
astilla chip, splinter
asunto matter, affair
asustado frightened
atañer to belong; to be concerned with
atar to tie
atardecer sunset
ataúd casket
atender to wait on
aterrar to terrify
atezar to clean up
atisbar to scrutinize
atrapar to catch; to deceive
atrasado out of date
atravesar to cross
atreverse to dare to do
atribulado afflicted, worried
atropellar to run over, trample
atuendo attire
aumentar to increase, augment
aun yet
  — así even so
(de) aúpa outstanding
aureola halo
ausencia absence
auxiliar helper
avance progress
avanzar to advance
avasallar to subdue
avellana hazelnut
avergonzar to embarrass, shame
ávido greedy, covetous, eager
avisar to notify
aviso news
avivar to enliven
avutarda bustard
ayudar to help

Ayuntamiento City Hall
azadón hoe
azorado uneasy
azote blow
azucena white lily
azulado bluish-colored

B

baboso juicy
bailar to dance
— **el moro** to do as one wishes
baile dance
bajar(se) to go down; to get off
bajoca green bean
balancear to rock
balcón a small terrace overlooking the
   street
baluarte bulwark
banca bench
bandera flag
baño bath
   cuarto de — bathroom
baranda handrail
barba chin; beard
barbilla *dim. of* **barba**
barbián likable rogue
barco ship
barniz varnish
barullo tumult
barra bar
barriga belly
barrio district (of a city), neighborhood
barriobajero of the lower class
barro mud, clay
barrote bar
barrotillo *dim.* of **barrote**
— **de madera** little wooden bar
bastión bulwark
bastón cane
— **de mando** baton
bata robe
batir to beat, win
— **el record** to take the cake
baúl trunk
bebida drink
bellaquerías roguish things
bendito blessed, holy
benemérito meritorious, worthy
bermejo reddish
besar to kiss
beso kiss

bichejo little bug
bien well
   más — rather
   si — although
bienaventurado fortunate
bienhechor benefactor
bigote moustache
billetes tickets, currency
blandir(se) to move tremulously
bocadillo sandwich
bocado mouthful
boda wedding
boina Basque beret
bola de sebo ball of fat
boleto ticket
boliche ball
bolígrafo ballpoint pen
bolsa bag
bolsillo pocket
bolso purse, pocket book
boquiabierto stupefied
borde edge
—**s punteados** perforated edges
borrachera drunken party
borracho drunk
borrar to erase
borrego sheep
borriquillo small donkey
bostezar to yawn
bota goatskin (for wine)
—**s** boots
botijo water container
botones page; bellhop
brillante shiny
brillo shine
brindar to toast
broma practical joke
bronca quarrel
brotar to germinate, break out
brújula compass
brutal fantastic
bufanda scarf, muffler
bulto bulk, size; bundle
bullicio joy, happiness
bullir to fidget
burgués, burguesía middle-class
burla mockery; jest; trick
burlar(se) to make fun of
burro jackass
buscar to search, look for
   en busca de in search of
búsqueda search

C

caballería horses, livestock
cabecear to nod sleepily
cabecera headboard
caber to fit
cabeza head
  darle vueltas a la — to think about things
cabizbajo head lowered, crestfallen
cabo end; extreme
  al — de un rato after a little while
cabrón bastard
cacharro pot
cadena chain
caer(se) to fall down or upon
  cuando cae la tarde near the end of the day
cafetera coffeepot
cafetería short-order restaurant with soda fountain
caída (del sol) sunset
caído fallen
caja cash register; casket; case; box
cajero cashier
calarse (las gafas) to put on one's glasses
calcetín (man's) sock
calentar to heat
calidad quality
cálido warm
calzada street, causeway
callar(se) to be silent
cama bed
  — turca daybed
cámara chamber
camarero(a) waiter, chambermaid
cambiar to change
cambio change
  en — on the other hand
caminar to walk, go about
camino road
  — del hotel going to the hotel
campanada chime
campaña campaign
canario from the Canary Islands
cangrejo small crab
cansado tired
cansancio tiredness
cantar to sing
  — las cuarenta to tell someone a thing or two
canturrear to hum

cañon (de la chimenea) flue
capar to crop, cut off
capaz capable
capítulo chapter; episode
captación hard to understand
capulina woman
capullo bud
carameloso sweet
carbonería coal yard; charcoal yard
carbonero coal dealer, charcoal dealer
carcajada laughter
cárdeno livid, reddish-colored
cardincho, cardencha thistle
cardo thistle
carga load, burden
cargado laden
cariño affection, love
carmín lipstick
carnes flesh (of a person)
carnet de identidad identification card
carnoso fleshy
carraspeante rasping, hoarse
carrera race; career, profession
  tirar en la — to be thrown into the race
carrilada wagon rut
carro horse-drawn vehicle
carruaje body (of an automobile), carriage
carta menu
  —s playing cards
cartera briefcase; billfold
cartero mailman
cartulina mounting-board
casarse to get married
cascar(se) to crack; to burst
casco helmet
cascos (de los caballos) (horse's) hoofs
caso thing; case
  hacer — to pay attention
castaño chestnut (color)
castigado punished
catacumbario in the catacombs
cataplasma mustard plaster
catarro cold; cough
catedrático professor
caterva group of people
caudillo leader
caza hunt
cazador hunter
cazuela pot
ceder to give way

ceja eyebrow
celebrar(se) to take place; to celebrate
celo zeal
cenicero ash tray
ceniza *n.* ash; *adj.* ash-colored
ceño frown
  — **fruncido** frowning
cercanía neighborhood, vicinity
cercano nearby
cerdo pig, pork
cerebro brain
cereza cherry
cerilla match
  la — encendida the lighted match
cerveza beer
cerradura closure, lock
  ojo de la — keyhole
cerrar to close, cover
  — **el trato** to close the deal
cerro hill
cerrojo bolt
cesto basket
cicuta hemlock
ciego blind (person)
cierto true; a certain
cierzo north wind
cinismo cynicism
cinta ribbon
cintura waist
cinturón belt
circense circus-like
circundar to surround
cirial candle holder
cirio candle
cita quote
citar to make an appointment or a date;
  to point out; to quote
Citröen French-made automobile
claro clear, transparent; light
clavado stuck
clavando sinking
clero clergy
cobrar to charge; to cash (one's pay)
  — **importancia** to take on importance
cobre copper
cocer to cook
cocina kitchen
cocinero cook
codazo blow with the elbow
codiciar to covet
codo elbow
cogidos del bracete arm in arm
cogote back of the neck

cohibir to inhibit
coima prostitute
cojear to limp; to rock (an uneven table)
col cabbage
cola tail, (waiting) line
colarse to sneak in
colcha quilt; top covering
colegiado collegiate
  estar — having a professional degree
colegio school
colérico angry; upset
colgante hanging
colgar(se) to hang (an object)
  — **cintas** to show off
cólico colic, pain in the colon
colilla cigarette butt
colmo limit
colocar(se) to place; to get a job
colorado reddish, red
colorín bright color
collar necklace
collera horse collar
comedimiento politeness, kindness
comedor dining room
comensal diner; one who eats at the
  same table
cómica actress
comienzo beginning
comitiva followers
cómoda commode, dresser
cómodo comfortable
companage snack
comparecencia new item
compás astronomical instrument; beat
  (of music, or the heart)
comportamiento behavior
compra purchase
  ir a la — to do the day's shopping
comprobar to verify
comprometido risky
compungido mournful
comunicar to communicate
concejal councilman
condolerse to console; to sympathize
  with
conductor driver (of a car or bus)
conejo rabbit
confiar to confide
configurar to form
confitería confectionery stoৢ.
conformarse to conform
conforme agreeable
congoja anguish

conmisura corner of the mouth
conmover to disturb
conmutador commutator; switch
conocido well-known
   conocidos acquaintances
conque therefore
conseguir to obtain; to manage, achieve
consejo advice, counsel
conserje caretaker
constar to consist of
consumos foodstuff
contar to tell a story; to count on
contemplar to look at, contemplate
contextura context
contraluz cross-light
   a — in the cross-light
contrincante rival, competitor
convencerse to convince oneself
convertirse to turn into, become
convidar to invite
copa treetop
   unas —s a few drinks
corajudo *Mex.* brave
corbata necktie
cordero sheep
cordón cord, string
corona crown
coronado crowned
cortado cut off
cortante cutting
cortar to cut
corte plot of land
cortejo funeral procession
Cortes Spanish Parliament
cortina curtain
corral farmyard
corralazo large patio, yard
corralón stable
correa de cuero leather strap
correaje strap
corrector de pruebas proofreader
corregir to correct
corriente *adj.* common, ordinary; *n.* draft
   seguir la — to follow the advice of
corro ring of people
cosa thing
   ser — de to have something to do with
cosecha crop
coser to sew
cosquilleante ticklish; of little consequence
costado side
costar to cost

costilla rib
costumbre custom
costurón stitches, scar
cosuchas miscellany, unidentified things
cotidiano daily, routine
crecer to grow
crédulo believing
cretino idiot
creyente believer
criatura child; creature
criminasen *v.* murder
cristal glass (window)
cruce crossing, intersection
crujir to creak
cruzar(se) to cross; to run into
cuaderno notebook
cuadra stable
cuadrado square
cuadro picture; scene
cuajada curd
cuando when
   de vez en — from time to time, now and then
cuanto as much as
   en — as soon as
   en — a insofar as
cuarentón fortyish
cuartel army barracks; quarter
cuartelillo local station
cubierta cover; deck (of a ship)
cubrir to cover
cucharada spoonful
cuchillo knife
cuello neck
   — duro starched collar
cuenta account, bill
   — corriente bank account
cuentista storyteller
cuerda rope
cuernos type of swear word
cuero leather; skin
cuerpo body
   a — without a jacket
cuervo crow
cuesta hill, slope
   — arriba facing upwards
cueva cave; cellar
cuidado care, heed
   con — carefully
culichico with a tiny behind
culpable guilty
cumpleaños birthday
cuna crib

cundir to grow, spread
cuña wedge
cuplé popular song
cupletista singer of popular songs
cura priest
cursar to follow a course of studies
curso course (of studies); school year

CH

chalado dimwit
chaleco vest
chamaco *Mex.* kid
chaqueta jacket
charla conversation
charlar to chat
chasquido crack of a whip
chicolear to tease
chillar to cry
chillón loud-colored
chimenea fireplace
chinchado bothered
chinche bedbug
chiste joke
chopo black poplar
chorro jet (of water)
— **de monedas** stream of money
chuleta chop

D

dar to give
— **a** to face
— **con** to meet; to hit upon
— **el palo** to strike
— **homenaje** to give a testimonial
— **igual** to be all the same
— **la espalda** to turn one's back on another
— **la lata** to bother
— **palmadas en los hombros** to pat each other on the back
— **pena** to sadden
— **se cuenta** to realize
— **vueltas** to turn something
debidamente dutifully
débil weak
débito debt
— **conyugal** conjugal duty
decaer to let down
decreto (legal) decree
dedo finger

— **gordo** thumb
degollar to behead
dejar de to stop doing something
—**se** to permit; to leave behind
delantal apron
delegado congressman
deleitoso delightful
delgado thin
demoníaco devilish
demonio devil
¡**qué demonios!** what the devil!
denominar to label
dentro inside
denuncia accusation
deprisa hurriedly
derecho straight
(**en**) **derredor** around, near
derribo demolition
desabrido tasteless, insipid
desacompasado offbeat
desafío challenge
desagradar to be disagreeable
desahuciado hopeless; beyond repair
desaliñado sloppy
desaparecer to disappear
desapercibido unnoticed
desarrollarse to develop
desasido disengaged
desasosiego uneasiness
desastrado wretched one
desayuno breakfast
desazón uneasiness
desazonarse to disgust
descabellado senseless, absurd
descanso rest
descargado unloaded
descaro effrontery, impudence
desconcierto confusion
desconocido unknown
descreimiento disbelief
descuidado careless
descuidar to overlook
—**se** to be careless
desdibujamiento lack of precision
desechar to throw out
desembocar to go into
desempolvar to dust off
desenlace ending
desenmascarar to unmask
desentenderse to disassociate
desentendido unmindful
desentrañar to penetrate; to clarify
desesperarse to despair

desespero despair
desfilachado worn, frazzled
desfilar to parade
desfile parade
desgana boredom
desgañitarse to shout
desgastarse to wear out
desgraciado unfortunate
deshora late at night; unexpectedly
desigual uneven
desligar to separate
deslizarse to slip away, evade
desmayo exhaustion
desmentir to deny
desordenar(se) to disarray, muss up
despabilado wide awake, alert
despacio slowly
despacho office
despecho indignation
despedida farewell
despedirse to say goodbye
despegar to bring out
despensa pantry
despertador alarm clock
desplomado collapsed
despreciable contemptible
despreciar to scorn, reject; not to appreciate
desprecio scorn
destacar highlight
destapar to uncover
desuncir to unharness
desvaído faded
desvelarse to stay awake
desviación deflection, change of direction
desviar to change course
detalle detail
detener(se) to stop, arrest
detenimiento at length
deuda debt
devolver to give something back
diablo devil
diablura prank
diana beauty
diario *adj.* daily; *n.* (daily) newspaper
dibujar to sketch, draw
dibujo drawing, design
dictado dictation
dicho aforementioned
dichoso happy
diestro bridle, halter
difunto dead person

digno worthy
diluir to dilute, weaken
dirigirse to go toward
discurso speech
discutir to discuss, argue
disfrutar to enjoy
disgustarse to get upset
disimulado slyly, cunningly; concealing one's feelings
disimular to pretend
disminución slowing down
disparar to shoot (at)
disparatado absurd
disponer(se) to get ready
dispuesto disposed, ready
distinguir to distinguish, make out
distraerse to be distracted
divagación digression
divagar to digress
divertido amused; amusing
divertirse to be amused; to have fun
divulgarse to divulge, give out the news
doblado folded; doubled
doblar to fold; to turn
— **la esquina** to turn the corner
docena dozen
doler to ache, pain
doliente mourner
dolor pain
dominar to dominate; to look out across a landscape
(por) doquier everywhere
dorado gilded
dormitar to doze
dorso back
dotado endowed
dots gifts, talents
duelo mourning
dueño owner
dulces sweets
dulzón sweet (smelling)
dulzura sweetness
durar to last
duro hard
un — five-peseta piece

E

ebrio drunk
ecónomo ecclesiastical administrator
echar(se) to throw out or away; to go out upon
— **al suelo** to throw on the floor

— **a llorar** to break out crying
— **a reir** to burst out laughing
— **cuenta** to add up
— **por** to go up a street
se lo echa a los brazos she picks him
    up in her arms
editorial publishing house
educado educated; well-mannered
    mal — rude
efectista sensational
eficaz efficacious, efficient
ejercer to practice (one's profession)
ejido open field
elegir to elect, choose; to follow
elenco theatrical company
(sin) embargo nevertheless
embobado stupefied
emborrachar(se) to get drunk
embozo muffler
empalidecer to turn pale
empanada turnover
emparentar to relate to, be related
empellón shove
empeñar(se) to insist
empeño determination
empero however
empezar to begin
empinado raised
empleado employee
emprender to undertake
— **el vuelo** to take off
empujar to push
empujón push
enamorar(se) to fall in love
enarcar arching
— **las cejas** to lift one's eyebrows
encabezado headed
encadenado chained
encajar to fit
— **bien** to come to the point
—**se** to force into
encantado enchanted, charmed
encargado foreman; in charge of
encender to light
encerado blackboard
encerrar to enclose
encierro lockup; closure
encima above, on top of
enclavado placed; fastened
encogerse to contract
— **de hombros** to shrug one's shoulders
encomendarse to entrust oneself (to)

encono malevolence; rancor
encontrar to find, encounter
encorvado bent over
encrespar to ruffle
encuadrar to encompass
endeblez weakness; flimsiness
enderezar(se) to straighten up; to direct,
    address
endurecer(se) to harden
energuménico temperamental
enfadarse to get angry
enfermedad illness
enfilar to head toward
enfriar to cool off; to chill
enfurecer to infuriate
engañar(se) to deceive (oneself)
    volver a — to be deceived once more
enganchar to hitch up, harness
engañifa deceit
engaño deceit
engolosinar to take delight in
engranaje mechanism
engrasar to grease
engrosar to enlarge, expand
engruesado enlarged
enjalbegado whitewashed
enjuto lean, slender
enlazar to link, join
enloquecedor maddening
enlutado in mourning
enmarcar to frame
enmudecer to turn mute; to be silent
enredar(se) to mix up, entangle
enriquecer to enrich
ensalada salad
enseguida immediately
enseñar to show; to teach
ensombrecer to cast a shadow; to be-
    come sad
ensoñado dreamful
entablar to engage in
entendedor knowledgeable
entender to understand
entendido expert
entendimiento intelligence
enterarse to find out, discover
enterizo in one piece, whole
entero whole, composed
entierro funeral
entornado half-closed
entrada entrance
entrado en años getting on in years

entreabierto half-opened
entredicho censored
entrega delivery, self-denial
entregar(se) to hand over; to give one-self up to
entremés in between (courses)
entrenado trained
entretener(se) to amuse (oneself)
entrevista interview
entristecido saddened
entumecimiento numbing
envainar to sheathe
—se la lengua to keep one's mouth closed, be silent
envejecer to grow old
envés back
enviar to send
envolver to wrap
envuelta wrapped
erguirse to straighten up
ermita hermitage
escalera stairway
— de incendios fire escape
escalofrío chill; shiver
escalón step; stair
escamotear to steal dexterously
escaparate shop window; display
escarbar to rummage
escasa not much
escaso little, low
escoba broom
escombros rubble
esconder to hide
escopeta shotgun
escritor writer
— en "pose" "self-styled" writer
escritos writings
escritura writing
— medida poetry
escucharse to listen
escueto unadorned, plain
escultor(a) sculptor, sculptress
escupir to spit
escurrido slipped, hanging
esforzado vigorous, strong
esforzar(se) to try; to exert oneself
eslabón link
esmero neatness
espalda back
a sus —s behind his back
— cargada y vencida round-shoul-dered and defeated-looking

espantado frightened
esparcir to scatter
esparraguera asparagus plant (ornamen-tal)
especie kind; species
espejo mirror
espeso dense
espía spy
espiga clump; ear (of grain)
espigado tall
espina thorn
espolear to spur
espuela spur
espumoso type of soft drink
esquema scheme; schema, diagram
esquina corner
establecer to establish
Estado the government
estallido explosion
estampa sketch, picture
estancia living quarters; visit, stay
estar to be
— de acuerdo to agree with
— en vena to be inspired
estatura height
estepa steppe, plain
estilar current, stylish
estirar to stretch
estorbar to disturb, upset
estornudar to sneeze
estrecho tight
estrellar to crash against
estremecer to shake, tremble
estrépito din and noise
estridencia noisy
estrofa stanza
estropear to break down
estuche case
estudios studies
— de Derecho law
— de Periodismo journalism
estupidez stupidity
etapa stage
euforia ebullience
evitar to avoid
exento exempt
exigente demanding
exigir to demand
éxito success
explanada vacant lot
exponer to expose
ex-profeso intentionally

expurgo expurgation
extranjero *adj.* foreign; *n.* foreigner
extrañado surprised
extrañar to surprise; to be strange
extrañeza surprise
extraño strange
extraviado astray
extremeño from Extremadura
extremidades arms and legs, extremities

F

fabricante manufacturer
fabulilla fable, short tale
fachada cover, façade
faena task
faja dust jacket (of a book); corset
falda skirt
falta lack
faltar to lack; to be absent from class
fallido frustrated; deceived
familiares members of the family
farol(a) light
farra gang
fastidiar to bother, upset
fastuoso ostentatious; giddy
felicidad joy, happiness
felicitar to congratulate
feo ugly
féretro casket
fervor zeal
férreo iron-like
fiambre cold cuts; corpse
fiera wild beast
fijamente fixedly
fijarse to notice
fila row (of chairs)
Filosofía y Letras Arts and Sciences, Liberal Arts
fin de cuentas in the final analysis
finado deceased
finalidad goal, end
fingir to feign, pretend
finura exquisiteness
firma signature
firmar to sign
fisonomía facial appearance
flaco lean, flaccid; feeble
flamenco gypsy-like
flojo flaccid
florecimiento flourishing
flota float

fluído fluid, flowing
folio page; leaf
folletín serialized novel
fondo back; background
forastero stranger
forense coroner
forma form
  de — que so that
formato shape
fortaleza strength
forrar to line, bind (a book)
fracasar to fail
fracaso failure
franja wide stripe
frasco small jar
fregar to wash dishes
freir to fry
frenar to stop, hold back (with reins)
frenazo screeching of brakes
freno brake; rein
frente forehead
fresco fresh; shameless
frescura freshness
frontera limit
fruncir to fold, plait
  fruncido el entrecejo frowning
  fruncida la boca pursed lips
fuego fire
fuente fountain
  — de barro platter
fuera outside
fuerte strong (flavor)
fuerza(s) power, strength, abilities
  a — de by dint of
  a la — forcefully
fugaz brief
fulano de tal John Doe
fumar to smoke (tobacco)
funcionario employee
funda sheath, covering
fundar to found; to base
furcia prostitute

G

gacetilla news column
gafas glasses, spectacles
galanteador flatterer; lover
galimatías gibberish
gallardo proud
gallina chicken
gallo rooster

gana inclination, desire
   de mala — reluctantly
ganado livestock
garganta throat
gemelos cufflinks
gemido lament
gentío crowd
geráneo geranium
gesto gesture
girar to turn (on an axis)
giro turn, tour
   — vulgar slang
gitano Gypsy
glorieta circle (at an intersection)
glotón smacking; gluttonous
golfante idle man
golpe blow
   de — suddenly
golpear to beat (against)
goma rubber
   — de borrar eraser
gomita rubber band
gorro(a) cap
gota drop
gozar to enjoy
gozo enjoyment
gozoso happy, jubilant
grabar to engrave
gracia flair
gracioso graceful, pleasing
grado degree
   de buen — willingly
granate wine color
granizo hail
grano grain (of wheat, corn, etc.); pimple
grato pleasing, pleasant
grieta crack
grillo cricket
gris gray
gritar to shout
grito shout
grueso thick
gruñir to grunt, groan
guante glove
guapo handsome, pretty
guardar to put away
guardia policeman, watchman
   — urbano traffic cop
   — civil Spanish national police force
guijarro cobblestone
guión script
   — cinematográfico movie script

guionista scriptwriter
guisar to cook
gusano worm

H

habitación room
habitual habitual "customer"
hablante speaker
   — indocto uneducated speaker
hacer to do, make
   — ademán to make a gesture
   — a la idea to get used to the idea
   — boca to stir up the appetite
   — caricias to pat one's head
   — caso de to pay attention to
   — falta to be needed
   — fama to become famous
   — labor to sew; to embroider; to knit
   — la peseta to tell everybody off
   — más leve su respiración to breathe less deeply
sin —se rogar without having to be begged
hada fairy
halagar to praise
halda skirt
hallar(se) to find (oneself)
hambre hunger
harto fed up; too much; full
hato bundle
hazaña deed
hechizo spell
hecho fact, deed
   de — in fact, actually
helado frozen
helarse to freeze
heredero heir
herido wounded
herir to wound
hervido boiled vegetables
hervir to boil
herramienta tool
hierbecilla weed, plant
hierro iron (metal)
hígado liver
higuera fig tree
hilera line
hincarse to kneel
hinchado swollen
hiriente wounding, cutting
Hispano-Olivetti a brand of typewriter

historial dossier
hocico muzzle
hogar home
　fundar un — to found a home
hoguera fire
hoja leaf (of a tree); page (of a book)
hombre man
　— de bien honest man
hombrera shoulder pad
hombro shoulder
homenajeado paid tribute to
hondo deep
hornada batch
hospedarse to be lodged
hueco hollow; empty place
huella impression
huérfano orphan
huerta cultivated countryside
huerto garden
huésped guest, paying guest
huéspeda prostitute
huevecillo little egg
huevo egg
huir to flee, run away from
humareda dense smoke
humilde humble
humillar to humiliate
humo smoke
　echar — to blow out smoke
hundir to sink
hurgar to stir

I

ida trip toward, departure
ideada conceived, prepared
ignoto unknown
igualarse to be compared to, be equated to
iluso deluded
impacientarse to become impatient
impacto impact
　¡un —! a big hit
impedir to impede, prevent
impermeable raincoat
impertérrito intrepid, dauntless
imponer to impose
imprevista unforeseen
impudor immodesty
impulsar to impel, urge on
impunemente without being punished
inadvertido unnoticed
incluso even

incógnito unknown
incoloro colorless
incómodo uncomfortable
inconcebible inconceivable
incorporarse to lift oneself up
inculcar to teach; to impress
indefectiblemente invariably
indiano a Spaniard who has returned
　from a long stay in the New World
indigno unworthy
indomable untamable
inducir to persuade
indumentaria clothing, attire
influir to influence
informe shapeless
inmediato close by
inmundicias refuse
inmutarse to change expression
inoportuno untimely, inopportune
inquietarse to become upset, worried
insidia slander; cunning
insomne sleepless
instaurador establisher
íntegro whole
intemporal temporary
intercalado inserted
interrogatorio questioning
interruptor (de la luz) light switch
intrincarse to get involved, tangled
invernal winterish
ir to go
　— de jira to go on a tour
　— tirando to get by
ira anger
irguió (se) *3rd person pret. of* **erguirse**

J

jabalí wild boar
jamón ham
jarrón big jar
jefe boss
jilguero linnet
jirón tattered cloud
jofaina wash bowl
jota Spanish dance
joya jewel
juerga spree, carousal
jugar to play
juguete toy
junto next to
　—s together

juventud youth (in general)
juzgar to judge

L

labio lip
— **inferior** lower lip
labor work; embroidery; sewing; knitting
—**es** chores
laborar to cultivate
labrador farm worker
ladear(se) to sway
lado side
a su — by his side
ladrillo brick
lágrima tear
lana wool, yarn
languidecer to languish
lanza shaft
lanzar(se) to dash toward, to throw, to let out a yell
— **a los tablados** to start on a theatrical career
largarse to go away
largo long, tall
a lo — along
larguirucho long and slender
lastimarse to hurt oneself
lastimosamente pitifully
lata (tin) can; bore, nuisance
dar la — to bother
latinear to chant in Latin
latir beating, tick-tock
latoso pest
lavandera laundress
lector reader
lectura reading; lecture
lechuga lettuce
legar to bequeath
legible readable
lejano far off
lenteja lentil
lento slow
leñoso woody
lerdo clumsy
letrero sign
liado wrapped up
liar(se) to obligate oneself; to agree to
— **un cigarro** to roll a cigarette
librería bookstore
licenciado master's degree (equivalent)

liebre hare, rabbit
ligero light, swift
limpiarse to wipe
limpio clean
venía — without any money
lince lynx (noted for sharp vision)
lío mess, trouble
lirio lily
liso straight
literato literary man
liviano light, sprightly
lobo wolf
locario crazy
locutor (radio or TV) announcer
lodado covered over
lograr to manage
lomo pork loin
lozano healthy
lucido magnificent
lúcido lucid, brilliant
lucir to show off; to shine
luchar to struggle
luengo long
lugar place
en — de in place of
lumbre open fire
lunares polka dots
lupanar house of prostitution
lupino of a wolf
luto mourning

LL

llama flame
llamada (telephone) call
llamar to call
— **a voces** to yell at
llamativa flashy
llanto crying
llave key
llegar to reach
llenar(se) to fill
llevar to take (away); to contain
llorar to cry
lloriquear to sniffle

M

maceta flower pot
machacón monotonous
machamartillo one hundred per cent, insistingly

macho ignorant fellow; male, man
madera wood; board
madrastra stepmother
madrina godmother; bridesmaid
madrugada dawn
madrugar to get up early
madurar to mature, ripen
magulladura bruise
majano heap of stones
maldecir to curse; to mutter about
malentendido misunderstanding
malestar ill-feeling
maleta suitcase
malgastar to waste
maligno malignant
malvado wicked, malicious
malvavisco marshmallow
manaza big hand
mancebía group of prostitutes
mancha stain, spot
manchar to stain
   lo menos manchado the least corrupted
mandar to send, order
manifestación demonstration
manifestarse to show
maniobra maneuver
manita (de pintura) coat (of paint)
manta blanket
mantel tablecloth
mantener to maintain
manto heavy veil
manzana apple
maquinalmente machine-like, automatically
maquinilla little machine
   — eléctrica electric shaver
maravilla marvellous thing
marcar to mark; to dial a phone number
marcha march
   en — moving, underway
marcharse to go away
margarita daisy
marino mercante merchant seaman
mariscal marshal (in military rank)
mármol marble
marrasquino type of liqueur
marrón brown
más more, most
   — bien rather
masticar to chew
matadura cut; bruise

matar to kill
matojo bush
matrícula tuition
mayores older people
mayúscula capital letter
mecedora rocking chair
mediar to be an interval
medida measure; distance
medido polite
medio surroundings, atmosphere
   —s means (of earning a living)
meditar to meditate
   — con suavidad to meditate with kindness
mejilla cheek
mejora improvement
membrillo quince
menear to move; to shake
menor younger
menos less
   a — unless
mente mind, brain
mentir to tell lies
mentira lie
mentón chin
menudo small
merecedor deserving
merecer to merit, deserve; to be worth
merienda picnic
mesar to stroke
mesura civility; kindness
meter(se) to enter, get into; to stick into
   no — con nadie not to bother anybody
mezclar to mix
miedo fear
miembro member; limb
mientras meanwhile, while; as long as
miga crumb
   —s dulzonas sweet crumbs
milagroso miraculous
militar military officer
millar thousand
mimbre reed
minucioso minute, detailed
minúscula small letter
mirada glance
mirador gallery
misa mass
miseria misery, trifle
   una — very little
mocete *dim. of* **mozo**
mocoso snot-nosed brat

modosamente temperate, moderate
mojar to wet
— **su mano** to dip one's finger
moldura molding
molestar to bother, molest
molesto bothersome
molestón bothersome
monaguillo altar boy
monja nun
mono monkey, ape
montar to get onto
    montado mounted, riding (an animal)
    tanto monta it's all the same one way or the other
montón mound
moraleja moral (of a story)
morder(se) to bite (oneself)
moreno dark-skinned person
morirse to die
morosidad slowness
mortaja shroud
mortecino feeble
mosca fly
moscarda horsefly
mosto new wine
mostrador counter
mostrar(se) to show
mozo(a) young boy, young girl
mudo mute
muebles furniture
mueca grimace
muela jaw tooth
mueras *2nd. per. sing. subj. of* **morir**
    gritando — shouts of "Down with!"
muerte death
muerto *adj.* dead; *n.* dead person
muestra sign; sample
muñeca wrist
murciana variety of geranium
murmullo murmur
murmurar to gossip; to murmur
muslo thigh
mustio lanky
mutilado mutilated
    caballero — cripple; war casualty

N

ná *popular form of* **nada**
nacer to be born; to form
naranja orange
naranjada orange drink

nardo tuberose
nariz nose
—**de alfanje** hook nose
narrativa narrative literature
natural native
nefasto infamous
negocio business
nevasca snowfall
nido nest
niñazo child
niñera nursemaid
nivel level
Nochebuena Christmas Eve
nóminas payroll
novio(a) boy-friend, girl-friend
nubarrón thick cloud
nube cloud
nublado cloudy
—**s en mí** foreshadowed in me
nublarse to cloud over
nudillo knuckle
nudo knot
nutrido dense

O

obrero worker
obsequio attention; courtesy
(no) obstante nevertheless
obtener to receive
    obtuvo el Premio de la Crítica he received the Critic's Prize
ocio *adj.* idle; *n.* leisure, pastime
ocre *adj.* reddish-colored; *n.* ochre
ocultar to hide
ocurrir to happen
odiar to hate
odio hate
ojera ring around the eyes
oler to smell
olfatear to sniff, smell
olor smell
olvidar(se) to forget
operario worker
oponerse to be opposed
oración prayer
orden de pago order to pay
orgulloso proud
orilla edge; bank (of a river)
orlar to garnish
oscurecer to darken
oscuridad darkness

oscuro dark
oso bear
ostentar to display
otero hill

P

pa *popular form of* para
padecer to suffer
padrino godparent; best man (in a wedding)
pagar to pay
paisaje landscape
paisajística of a landscape
pájaro bird
paleta palette
palmada pat
palmear to slap with the palm of the hand
palmo a few inches
palo pole
palpable clear, obvious
palpar to touch
palpo touch
pámpano grape leaf
pancarta banner
pantalla screen
panza belly
pañal diaper
paño cloth
pañuelo handkerchief; scarf
papel paper
— higiénico toilet paper
papelería stationery store
par like, equal
de — en — wide open
para con toward
parada (bus or streetcar) stop
paraguas umbrella
paramento embellishment
parar(se) to stop
pardo brown
parecer to seem like
parecido resembling
bien — good-looking
pared wall
pareja pair, couple
parejo even, equal
parentesco relationship
parientes relatives
parloteo chatter
parquedad sparseness

parsimonia calmly
parte meteorológico weather report
parterre garden; lawn
particular special; private
partida de viñas parcel of wine grapes
partir to leave, depart; to part, separate
parra grapevine
párrafo paragraph
párroco parish priest
pasear to stroll
pasillo hallway
paso step
a su — when going by
de — by the way
pastar to graze
pata foot (of an animal)
patada kick
patatillas potato chips
patente obvious, evident
patillas sideburns
patria fatherland
patrón boss
paulatinamente little by little
pecado sin
—s veniales venial sins
peciolo flower-stalk
pecho(s) chest; breast(s)
pedante show-off
pedir to ask for
pedrisco hailstorm
pegado stuck to
pegar to hit
— patadas to kick
peinado combed
pelao *Mex.* low-class rogue
pelar to peel
peldaño step
pelear to fight, struggle
película film, movie
peligro danger
peligroso dangerous
pelirrojo red-haired
pelo hair
pelusa fuzz
pena punishment
— capital death penalty
pender to hang
pendiente waiting for
—s earrings
penoso grievous, painfu
pensamiento thought
pensión boarding house

penumbra penumbra, semi-darkness
percha hook (on a wall)
perder(se) to be lost, to lose
peregrino strange
perejil parsley
perenne perennial
perezoso lazy
perfil profile
perfilar(se) to outline; to stand out
pergeñar to prepare; to create
perilla light bulb
periodismo journalism
periodista newspaperman
perito expert
permanecer to remain, stay
persiana venetian blind
persignarse to cross oneself
personaje character (in a story or play)
pertenecer to belong to
perra coin
pesado heavy
　¡pesados! the oafs!
pesadumbre sadness, grief
pesar to weigh
　a — de in spite of
pesca fishing
pescado fish
pescar to fish
peso weight
pestaña eyelash
pestillo bolt
picante highly seasoned
picar to sting
picardía malice
piedad compassion
piedra stone
piel skin
pienso feed for animals
pierna leg
pila sink
pincel (painter's) brush
pincelada pencil stroke
　— finales final touches
pinchar to wound; to bother
pintarrajeado overpainted
pintor painter
pintoresco picturesque
pinza hair curler
piña pineapple; *slang*: group of people
pisar to step on
piso floor; apartment
pisto dish made of fried vegetables

pitillo *dim.* of pito
pito cigarette
pizarra blackboard
placer pleasure
plana page
　primera — front page
planta floor, story
plantearse to attempt, try
plasmar to shape, mold
plata silver
plátano banana
platicar to talk
plato dish; course in a meal
plenamente completely
pleno complete
pliegue fold
pócima potion, mixture
podredumbre rottenness
podrido rotten
policíaco detective-like
polvareda dust cloud
polvo dust
pólvora gunpowder
pollo chicken
ponerse to become; to put on
　ponerle pegas to put obstacles in
　　one's path; to make conditions
　ponerme las cosas to have things go-
　　ing for me
　— a to begin to do something
　— de puntillas to stand on tiptoe
poniente west
　sol — setting sun
porquería filth
portar(se) to behave
　—se bien to be good
portón big door
porvenir future
posada inn
posadera innkeeper
posaderas buttocks
postre dessert
potente powerful
pozo well
preciado esteemed, highly valuable
precio price
predicar to preach
premiar to reward
prendas articles of clothing; personal at-
　　tractive features
prensa press (newspapers)
prescindir to do away with

presente gift
presentimiento premonition
presión pressure
preso prisoner
presunto supposed
pretender to attempt; to pretend
pretendiente suitor
prevenir to anticipate
prieto tight, compact
primaveral springlike
primera plana first page (of a newspaper)
prisa hurry
  tener — to be in a hurry
probar(se) to try on; to taste
probata trying on
probo upright, honest
proceso trial
procurador solicitor, attorney
procurar to try to, manage to
progenitor father, ancestor
prójimo neighbor, fellow creature
prolijo detailed
promoción batch, group
propensión tendency
propicio favorable
proponerse to propose
prosaísmo prosaic
prosopopeya pompousness
provisto supplied, stocked with
próximo nearby, near to
proyectar to project, plan
prueba proof; test
puchero pot
pueblo town
puerco dirty
puesto place, spot
  — de trabajo job
  — que since
pulsera bracelet
punta tip
puntería aim
puntero pointing stick
(de) puntillas on tiptoe
(a) punto ready
puñetazo blow (with the fist)
puño fist
pupitre (school)desk
puro cigar
puro extremely
puterío prostitutes in a bordello

Q

quedamente quietly
quedarse to remain; to keep; to become
quehacer chore
quejar(se) to complain
quejido lament
quemar to burn
querencia love
queso cheese
quieto still, motionless
quijada jaw
quitar to take away

R

rabia anger
ráfaga de aire gust of wind
raíl rail
rama branch of a tree; bush
ramalera rein
ramo bouquet
rasgo trace; manner
rastrojo wheatfield stubble
rato short space of time
  hace un — a short time ago
raya stripe; line
rayar to scratch
rayo bolt of lightning
reacción reaction
  — en cadena chain reaction
real Spanish coin worth twenty five céntimos
reanudar to resume
rebasar to go beyond; to pass
rebullir to stir around
rebusca search
rebuznar to bray
recargado overloaded
recepción reception
  en — reception desk
recibidor entrance hall
recibimiento greeting, reception
recibo receipt
recio strong
reclamar to claim, demand
recobrar to recover
recoger to gather, collect
recogido taken in
reconocer to recognize
reconocimiento recognition

recorrer to examine
recorrido sweep, look around; route
recto straight
  ángulo — right angle
recubierto covered over
recubrir to cover over
recuerdo reminder
rechoncho fat, fatty
red net; web
redactor writer
  — de noticias newspaper reporter
redondo well-rounded
reducto redoubt
reemplazar to replace
reflejarse to reflect
reflexionar to think about
refresco soft drink
regalar to give (a gift)
regatear to bargain
regir to govern
regreso return
reirse to laugh
rejilla cane used to make furniture
relajamiento letdown; relaxation
relámpago lightning
relato narrative, story
reloj timepiece
remansado quiet, still
(de) remate utterly, completely
remenear to move around
remesa shipment
remolino whirlwind
remorder to feel remorse; to make uneasy
remover(se) to move, to shift
renacer to revive
rencor resentment, bitterness
rendido exhausted
renegar to complain
reojo glance out of the corner of the eye
repartir to divide, distribute
repasar to review
repaso review (of a lesson)
repentino sudden
repleto full
reponerse to recover (from a fall)
reportaje report, story (in a newspaper)
repostre second dessert
reprender to reprimand, scold
requiebro word of praise
requiem eterna (*Latin*) eternal rest
resarcir to compensate, recompense

resbalar to slip
resentido resentful
resentirse to hurt
residuos residue
resolverse to sum up
resonar to sound
respaldo back of a seat
respingo jerk; kick
resplandor light, flash of light
responsarios prayers for the dead
respuesta reply
resquicio sign; crack
resucitar to revive
resueltamente decidedly, vigorously
resultar to result
  — pueril to turn out to be childish
retahila series
retorcer to twist, contort
retrasar(se) to slow down; to be late
retrato portrait, picture
retroceder to step back
reunirse to join
revalorizar to re-evaluate
reventar to burst
reverdecer to revive
revista magazine
revolotear to flutter around
revolver to turn over
rezar to pray; to say
riesgo risk
rigodón type of dance
rigor precision
rincón corner
  su — his little town
riña quarrel
riñón kidney
risa laughter
risueño pleasing, agreeable
rizado curly
robado swept away
roce rubbing together
rodar running (of an automobile)
rodear to surround
rodilla knee
rogar to plead
rojizo reddish
romance poem
romper to break, tear
ronco hoarse
rondalla group of musicians
ronquido wheezing sound

ronzal halter (for an animal)
rosáceo rosy
rosal rosebush
rostro face
roto broken, torn
rozar to brush against; to contact
rubio blond
ruborizarse to blush
rubricar to sign; to add a flourish
rufos men
ruído noise
rumia muttering
rumiar to meditate, muse
rumorcillo noise

S

sabañón chilblain
saber to know
  a — namely
sabiduría wisdom
sabio *adj.* wise; *n.* learned man
sabroso tasty, juicy
sacapuntas pencil sharpener
sacristán sexton
sacudir to shake
sainete short farce
sal salt; wit; wisdom
salero salt-shaker
salida exit
salir to leave
  — bien to turn out O.K.
saltar to jump
  — en pedazos de desilusión to become
    thoroughly disillusioned
salto jump
  dar un — to react swiftly
saludar to greet
salvaje savage
salvamento escape
salvar to save, protect
salvedad exception
salvo except
sandalia sandal
sangrar to bleed
sazonar to season
  — el plato to liven things up
sebo fat, suet
secar(se) to dry
seco dry
sed thirst
sedoso silky

seguido without interruption
seguidor follower
seguir to follow
seguro sure, positive
sello postage stamp; seal
semanal weekly
semanario weekly newspaper
semblante face
sembrar to plant
semejanza resemblance
  tener — con to look like; to seem like
semicerrado half-closed
semioculto half-hidden
sencillo simple, direct
sendero path, road
sendos one each
sentido sense
señalar to point out
señorío elegance
señorón "big shot", "big wheel"
sequedad dryness
serpentina noise like the rustling of paper
servirse to take advantage of; to serve
sien temple (of the head)
sigiloso secretly, full of secrecy
signatura call number (of a library book)
sillón armchair
simpático pleasant
simplones ilusos simpletons
sindicato labor organization
sitio place
situar(se) to place (oneself)
sobrar to be in excess
  de sobra more than enough, in abun-
    dance
  sobras leftovers
sobremesa after-dinner conversation
sobresaltar to startle; to be startled
sobresalto surprise
sobrino(a) nephew, niece
solar vacant lot
solaz enjoyment
soldado soldier
soldarse to join
soleado sunny
soledad solitude
soler + *inf.* to be (usually) doing something
  — ser to be usually
soliviantarse to be aroused, be instigated
soltar to release
soltero single
soltura agility

sombra shade, shadow
sombrío gloomy
someter to submit
son tune
sonar to sound, strike
  no me suena it doesn't mean a thing to me
sonreir to smile
sonriente smiling
sonrisa smile
sonrojarse to blush
soñador dreamer
soñar to dream
sopa soup
sopera soup-tureen
soplar to blow, puff
soportar to endure, suffer
sorber to sip
sordamente deafly; with a thud
sordo deaf; silent
sorprendente surprising
sorprendido surprised
sortija ring
soslayable oblique
sostén brassiere
sostener to sustain, support
suavizar to soften
subida climb
(de) súbito suddenly
subrayar to underline
suceder to happen; to follow
suceso happening
sucio dirty
sudoroso sweaty
suegra mother-in-law
suegro father-in-law
  —s in-laws
suela (del zapato) sole (of a shoe)
suelo ground; floor
suelto change (coins)
  cuento — published separately
sueño dream
sugestivo picturesque
sumido immersed
(a lo) sumo at best
superior upper part
  dientes —es upper teeth
  el — one's superior
superficie surface
suponer to suppose
suprimir to do away with
surco furrow

surgir to appear
surtidor waterspout, faucet
suspicacia suspiciousness
suspirar to sigh
susto scare

T

tablado stage
taco piece
  —s swearwords
taconazo banging of heels
tachar to cross out
talante manner, mode
talón heel
tallo stem, trunk
tamaño size
tambalearse to stagger
tampoco neither
tanto so; in such a manner
  en — in the meantime
  un — somewhat
tapa lid, cover
tapar to cover
  — la boca to make one (be) quiet, "shut one up"
tapicería upholstery
taquilla box (office)
tardar to be late
tarea task, job
tarima platform
tarjeta card
  — de Navidad Christmas card
tartamudo stutterer
tartana carriage
tarugo wedge; piece
taza cup
tedio tedium
tejado roof
tejer to knit
telefonazo telephone call
temblor trembling
temido feared
templado drunk
temporal storm
tenaz tenacious
tender to hang out; to lay before; to stretch out
tenedor fork
tener to have
  — en cuenta to consider
  — ganas de to want to

teniente lieutenant
tentar to feel around
terciado sideways
terciopelo velvet
ternura tenderness
tertulia club; get-together
terraza terrace
terreno territory
teta breast
(con) tiento carefully
tierno tender
tieso stiff
tijeras scissors
— **de podar** pruning shears
tijerillas small scissors
timbrado stamped
timbre bell; tax stamp
tinglado trick, intrigue
tinieblas darkness
tío guy
tipo guy; type
— **bonito** pretty boy
tique ticket
tira long narrow stripe
—**s de papel** slips of paper
tirar(se) to throw (oneself); to tug
— **de un cordón** to pull a string
tirón tug, pull
tísica tubercular
títere puppet
titular owner
tiza chalk
toalla towel
tocar to play (music); to ring
— **el timbre** to ring the bell
— + *money* to win a lottery prize
tocino bacon
tocólogo obstetrician
todo all
del — completely
tomar to take
— **el pelo** to make fun of
— **en cuenta** to consider
tontamente foolishly
tontería stupidity, foolishness
tonto fool
— **de remate** utter fool
topar to collide, run against
tope top
toque touch; blast
torcer to twist
torcido twisted

tornar to change; to turn
tornillo screw
(en) torno de around
(los) toros bullfight
torpe slow, stupid
torta pastry
tortilla omelette
torre tower
toser to cough
tostado brownish
toza yoke
trabajo job
trabajosamente with difficulty
trabar to involve; to mix
traer to bring
tragar to swallow
trago gulp
traje suit
— **de novia** wedding gown
trámite red tape
trampa snare, trap
transcurrir to occur, transpire
tránsito traffic
tranvía streetcar
trapo cloth
tras behind, after
trascendido transcended
trasegar to turn upside down, upset; to change the place of
trasero in the back, buttocks
traste stop fret of a guitar
trastornado altered
trastorno upset; confusion
tratante dealer
tratar to deal with
tratarse (de) to be a question (of)
trato relationship; business deal
casa de — bordello
travesía crossing
trayecto trajectory
tresillo living-room suite
trigo wheat
triste sad
tristeza sadness
triturar to crush, chew
trocito little bit, little piece
tronador thundering
tronchado chopped-off
tropa troop
tropel bustle, confusion
de — tumultuously, in a throng
tropezar to run into

tropezón stumble
troquelado molded, defined
trotecillo little trot
trozo part of, piece of
truculento fierce
trucha trout
trueno clap of thunder
tumbado tossed, thrown across
turbio cloudy
turco Turkish
turnarse to take turns
tutelar protective

U

último last
ultranza at all costs
unción unction
untuoso smooth
uña fingernail, toenail
urbanidad good manners
urraca magpie
uva grape
   —s en aguardiente grapes preserved
     in liqueur

V

vacío *adj.* empty; *n.* empty space, vacuum
vagar to wander
vago vagabond, bum
vaguada stream-bed
vaguedad vagueness; ambiguity
vaho vapor, steam
valenciano language of Valencia
valija suitcase
valorar to value
vara staff
varja toolkit
vecino neighbor
vecindad neighborhood
velador café table
velar to stand watch
velo veil
velocidad speed
vendimia grape harvest
vengar to avenge, to take revenge
ventanal large window
verde sifón light green
verdoso greenish
verga *naut.* yard

verosímil likely, true to life
verter to spill
vestiduras items of apparel
vez turn; time
   de — en cuando from time to time,
     now and then
viajero traveler
vidriera glass window
   — policromada multicolored stained-
     glass window
vidrio glass
viejecita little old lady
viento wind
viga beam
vigilar to watch over
vigorizante invigorating
villano rustic, coarse; villainous
violentar to bother; to molest
viruela smallpox
visera visor (of a cap)
vistazo glance
vitalicio never-ending
vitrina display case
viudo(a) widower, widow
viva shout of acclamation
   gritando —s shouts of "long live!"
voluntad wish
volver to return
voz voice
   en — alta aloud
vuelo flight
vuelto *p. p.* turned; *n.* turn; return
   a vueltas turned around
   dar vueltas a unos surcos to plow,
     turn over the land

W

water W.C.

Y

yerbabuena peppermint
yerno son-in-law

Z

zarzaparrilla type of soft drink
zorra fox
zumbido buzzing